W9-BUL-029

Ronald

RONALD

Ronald

Ronald

La Colección de L. Ronald Hubbard

BRIDGE PUBLICATIONS, INC.
5600 E. Olympic Blvd.
Commerce, California 90022 USA

ISBN 978-1-61177-549-5

© 1996, 2012 L. Ronald Hubbard Library. Todos los derechos reservados.

Cualquier copia, traducción, duplicación, importación o distribución no autorizadas, de todo o de una parte, por cualesquiera medios, incluyendo la copia, almacenamiento o transmisión electrónicos, es una violación de las leyes vigentes.

Se brinda un encarecido agradecimiento a L. Ronald Hubbard Library por el permiso para reproducir las fotografías de su colección personal. Reconocimientos adicionales: pp. 1, 17, 53, 69, 91, 99, 117, contracubierta Makhnach/Shutterstock.com; pp. 25, 26, 43, 48, 49, 84, 85, 93-95, 102, 103, 110-113 Bruno Ferrari/Shutterstock.com; pp. 29, 31-45, 47-49, 57-64, 73-82 Ec Oasis/Shutterstock.com; p. 56 Peter Stackpole/Time & Life Pictures/Getty Images; p. 90 arriba a la derecha RDA/Getty Images; p. 90 arriba del todo Derek Colmer/Hulton Archive/Getty Images; p. 90 centro a la izquierda General Fotographic Agency/Getty Images; p. 90 centro a la derecha Keystone/Getty Images; p. 90 abajo Brooke/Getty Images; 96 y 97 Kenneth V. Polin/Shutterstock.com; p. 104 Michael S. Quinton/National Geographic/Getty Images; p. 108 y 109 George F. Mobley/National Geographic/Getty Images.

Artículos e Ilustraciones: pp. 49, 88 y 89, 91, 93-95 *Argosy Magazine* es © 1936, 1937 Argosy Communications, Inc. Todos los derechos reservados. Reimpresa con permiso de Argosy Communications, Inc.

Dianética, Scientology, L. Ronald Hubbard, LRH y la *firma de Ronald* son marcas registradas y se usan con permiso de su propietario.

Scientologist es una marca de afiliación colectiva que designa a los miembros de las iglesias y misiones afiliadas de Scientology.

Bridge Publications, Inc. es una marca registrada en California y es propiedad de Bridge Publications, Inc.

NEW ERA es una marca registrada propiedad de New Era Publications International ApS y está registrada en Dinamarca entre otros países.

Impreso en Estados Unidos de América

The L. Ron Hubbard Series: Adventurer/Explorer—Spanish Latam

RONALD

La Colección de L. Ronald Hubbard

AVENTURERO
EXPLORADOR
HAZAÑAS Y MUNDOS
DESCONOCIDOS

Bridge

PUBLICATIONS, INC. ®

LONGWOOD PUBLIC LIBRARY

CONTENIDO

Una Introducción a
L. Ronald Hubbard

"LGUNA VEZ HAS ESTADO AL BORDE DE LO INEXPLORADO? ¿Te has sentido valorado por ti mismo simplemente porque eres un hombre solitario en una tierra solitaria y te encontraste con alguien como tú? ¿Alguna vez has sentido el compañerismo de hombres que exploran lo inexplorado, la cálida fe en la fortaleza del amigo que está a tu lado?

Pues el mundo allá afuera, cuando era solitario, cuando era nuevo, exigía ciertas cosas del individuo, sin las cuales no viviría mucho; y entre las cosas que se exigían, se encuentran cierto tipo de coraje y cierto tipo de camaradería. Los hombres tenían que ser grandes o caían ante lo desconocido". —L. Ronald Hubbard

Aquí se incluyen relatos de aproximadamente cuarenta años de aventura y exploración en lugares solitarios donde los hombres no viven mucho sin valor y camaradería. Como nota preliminar, tengamos presente que si, a partir de entonces, L. Ronald Hubbard ha llegado a ser sinónimo de exploración a gran escala, es sólo como consecuencia de haber explorado tantas tierras lejanas en su búsqueda aún más extensa de las respuestas que hoy se encuentran en Scientology. Tengamos también presente que la meta nunca había sido la aventura *por sí misma*. Como dijo Ronald: "He recorrido el mundo estudiando al hombre para comprenderlo,

y lo importante es *él,* no las aventuras que he vivido al estudiarlo". Tampoco había tenido nunca la intención de convertirse en una leyenda, de hecho, sólo raras veces había tratado estos temas. Finalmente, entendamos que toda la existencia de Ronald fue una aventura y que lo que aquí aparece

Izquierda Guam, 1927: "¿Alguna vez has estado en una frontera?" —LRH

Izquierda Soñando con Volar: fotografía de L. Ronald Hubbard

Derecha
El joven L. Ronald
Hubbard con su
padre en la tierra
yerma de Nevada,
1920, sobre lo
que Ronald
Hubbard siendo
adulto escribiría:
"Recorrer los
grandes desiertos
en un coche de
aquellos días en
los caminos de
aquellos días *era*
una aventura"

no son sino selecciones y relatos de actividades clave. Y ahora que hemos dejado eso en claro, y recordando que, como él lo expresó con tanta claridad: "¿Qué es la vida sin desafíos?", pasemos a la introducción.

A modo de introducción general, lo que mejor nos podría servir son algunas notas biográficas que Ronald mismo compartió con los lectores de la revista *Adventure* en otoño de 1935. Para comenzar, explica: "Nací en Nebraska y tres semanas después fui a Oklahoma", donde, podríamos añadir, su abuelo había establecido un rancho de caballos en el que Ronald dio sus primeros pasos antes de cumplir un año. De Oklahoma, se trasladó después al estado de Montana, donde, como él mismo dijo bromeando: "Dicen que di ciertas señales de que iba a tranquilizarme, pero creo que esto no es más que un rumor". Luego vinieron varias aventuras notables, incluyendo una extraordinaria amistad con un indio chamán de la tribu de los pies negros y su aceptación final como hermano de sangre de la tribu. También estaba domando caballos salvajes a muy temprana edad, y escapó por muy poco de una manada de coyotes montado en una yegua llamada Nancy Hanks, un suceso especialmente significativo por el hecho de que inicialmente nadie lo creyó. De ahí que después reconociera: "Tuve mis aventuras, pero aprendí a contar la versión moderada".

Describió adecuadamente el siguiente acontecimiento importante como una *aventura* automovilística y relató un viaje espeluznante a través

Arriba
Ronald (al frente
y al centro a la
izquierda) guía
a un grupo de
alpinistas a la
boca de un
glaciar en las
grandes Cascadas,
estado de
Washington, 1923

Derecha
En camino a
llegar a ser el
Eagle Scout más
joven de Estados
Unidos, 1923

de las Montañas Rocosas en el Ford Modelo T de su abuelo. Las carreteras, en el mejor de los casos, estaban cubiertas de arena, y por lo general eran poco más que sinuosas veredas formadas por el paso de venados al borde de un abismo escarpado. Después siguieron las igualmente desafiantes jornadas a través de los desiertos de Nevada (donde el agua era para el radiador y las llantas estallaban cada cincuenta kilómetros) antes de llegar finalmente a San Diego donde su padre prestaba servicio en la marina de Estados Unidos a bordo de un destructor. Existen fotografías que muestran a Ronald en la cubierta como si estuviera en su casa.

Aunque se conoce bastante bien la historia de L. Ronald Hubbard como el scout de mayor rango más joven de Estados Unidos, esta se debería relatar aquí a grandes rasgos, aunque fuera tan sólo como preludio a lo que viene a continuación. Se hizo miembro de los scouts en 1923 y pronto llevó la Tropa 10 de Washington, D.C. a la victoria en competencias regionales, y distinguió muchísimo en otros aspectos. El hecho de que además representara a los scouts de Estados Unidos en la Casa Blanca y estrechara la mano del presidente Calvin Coolidge es de menor importancia. Pero en ambos casos, a los trece años L. Ronald Hubbard se había convertido en una figura relativamente famosa en círculos bastante relacionados con la aventura. Además, y lo que viene más al caso, poseía una docena de habilidades prácticas (desde primeros auxilios hasta cocina al aire libre) que le ayudarían a salir adelante a lo largo de sus aventuras venideras.

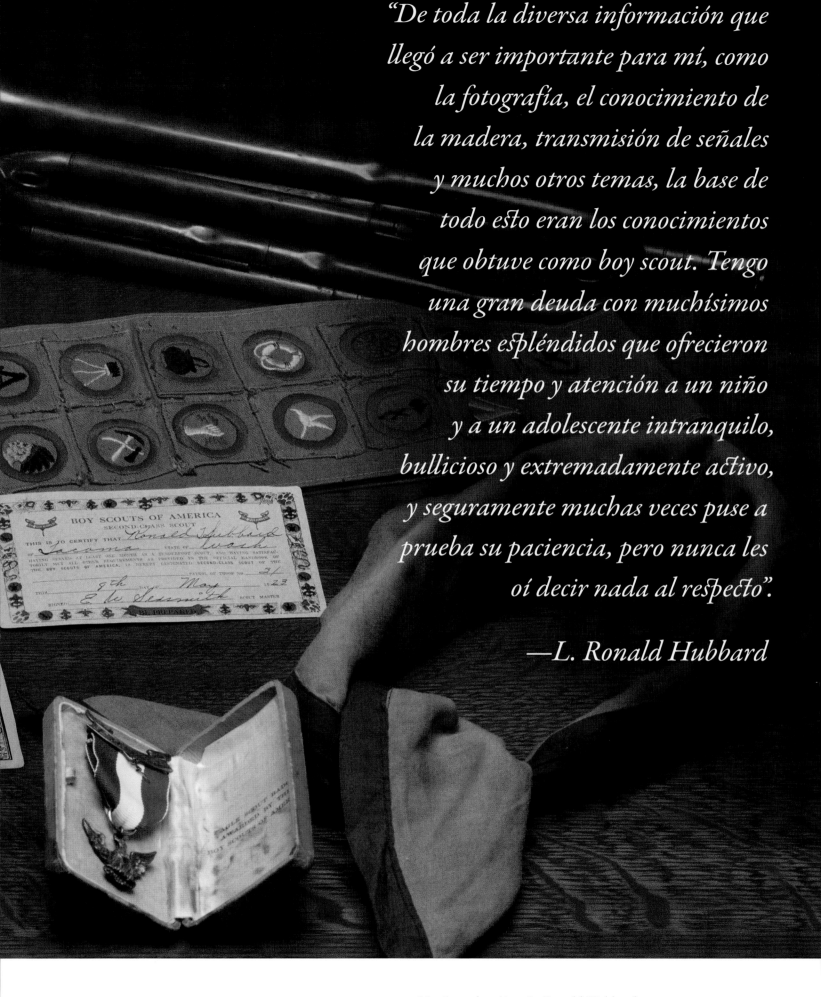

"De toda la diversa información que llegó a ser importante para mí, como la fotografía, el conocimiento de la madera, transmisión de señales y muchos otros temas, la base de todo esto eran los conocimientos que obtuve como boy scout. Tengo una gran deuda con muchísimos hombres espléndidos que ofrecieron su tiempo y atención a un niño y a un adolescente intranquilo, bullicioso y extremadamente activo, y seguramente muchas veces puse a prueba su paciencia, pero nunca les oí decir nada al respecto".

—L. Ronald Hubbard

MANCHURIA

MONGOLIA

JAPÓN

Pekín

CHINA

Shanghai

Hong Kong

INDIA

FILIPINAS

Manila

GUAM

MALASIA

Singapur

Arriba
Los viajes más
importantes de
L. Ronald Hubbard
1911–1929

Lo que constituyó la siguiente de esas aventuras ocurrió en 1927, con el primero de sus dos viajes por el Pacífico rumbo a Asia. Una vez más, mucho se ha dicho de los viajes de Ronald por Asia: cómo se las arregló para llegar a la isla de Guam donde su padre prestaba servicio en la estación de reabastecimiento de combustible de Estados Unidos; cómo al partir de Guam desafió tifones a bordo de una goleta mercante para desembarcar finalmente en la costa de China; cómo luego se abrió paso tierra adentro hasta por fin aventurarse profundamente en lamaserías budistas

prohibidas, y cómo todo ello formó parte de la búsqueda más amplia de la que vinieron Dianética y Scientology. Sin embargo, lo que por lo general no se conoce, y que aquí es especialmente pertinente, son los detalles incidentales.

Por ejemplo, entre las personas que conoció en el curso de su segunda aventura asiática (que empezó en 1928 después de un breve periodo en el regimiento número 163 de la Guardia Nacional de Montana) estuvo el mayor Ian Macbean del Servicio Secreto Británico. No se sabe con exactitud por qué

Océano Pacífico

Seattle Washington

Helena, Montana

Tilden, Nebraska

Durant, Oklahoma

Washington, D.C.

San Francisco, California

San Diego, California

E S T A D O S
U N I D O S

Hawai

Canal de Panamá

Macbean llevaría consigo a L. Ronald Hubbard que entonces tenía 17 años a lo largo de un recorrido por los esfuerzos del Servicio de Inteligencia Británico, desde Pekín hasta el norte de China. No obstante, y como veremos, las lecciones de Macbean le serían muy útiles a Ronald. En estos viajes por Asia, también aconteció el encuentro de Ronald con piratas cantoneses, la construcción de una carretera a través de la jungla más densa y lejana de Guam, y la noche en que derribó a un espadachín italiano llamado Giovinni. (Aunque no antes de recibir un

Ian Macbean, amigo íntimo de LRH
y agente extraordinario inglés

Arriba
La Gran Muralla
China cerca del
Paso de Nankou,
1928; fotografía
de L. Ronald
Hubbard

Derecha
El Orientalista
en un invierno en
Pekín, 1928

sablazo en la mejilla izquierda y de que Macbean estuviera a punto de perder una mano).

Al regresar a Estados Unidos a finales de 1929 y después de una breve participación en el galardonado vigésimo regimiento de infantería de marina, Ronald reanudó su educación formal y al final se inscribió en la Universidad George Washington, donde estudió ingeniería entre otras actividades de naturaleza más aventurera, las cuales examinaremos en las siguientes páginas. Pero continuando con el relato a grandes rasgos, como él mismo informó a los lectores de *Adventure:* "La ingeniería civil me parecía muy atractiva en ese entonces. Conocí a muchos de estos chicos de Baltimore a Tombuctú, y parecían tener una vida muy colorida entrecerrando los ojos para ver a través de sus teodolitos bajo sus sombreros Stetson. Sin embargo, fue demasiado tarde cuando la Agencia de Recursos Naturales de Estados Unidos me envió a Maine a encontrar la frontera canadiense perdida. Acribillado con picaduras de siete clases de insectos, pegajoso por la mugre de los pantanos, a una dieta de pan de harina de maíz y jarabe de melaza con miel de maple, me di cuenta al instante de que un ingeniero civil debía permanecer demasiado tiempo en una cantidad demasiado reducida de lugares, así

que rápidamente me olvidé del cálculo y de mi regla de cálculo, y comencé a idear medios por los cuales evitar la prosecución de mis estudios".

De hecho, la interrupción de sus estudios universitarios conllevaba mucho más que el mero deseo de viajar y tenía todo que ver con la investigación primordial que llevó al desarrollo de Dianética y Scientology. Luego, además, con la salida de Ronald de la Universidad George Washington vinieron sus primeras expediciones formales de exploración y lo que todas esas expediciones tuvieron como resultado (en términos puramente materiales) incluye: las anotaciones marítimas de LRH de su expedición al Caribe en 1932, que aún se encuentran en los Archivos Nacionales de Estados Unidos, los manuales de navegación para la zona de la Columbia Británica que aún llevan las anotaciones que hizo LRH durante su expedición a Alaska en 1940 y todo lo demás que aún queda en las crónicas del famoso Club de Exploradores de Nueva York. Sin embargo, para no adelantarnos a nuestra narración, cerremos esta introducción con un simple recordatorio: estamos a punto de adentrarnos en territorios donde: "Los hombres tenían que ser grandes o caían ante lo desconocido". ∎

Vista poco usual de la Gran Muralla China, reimpresa de diferentes formas
en textos geográficos de aquellos días; fotografía de L. Ronald Hubbard

Doris Hamlin, navegando en la bahía de Chesapeake
al inicio de la Expedición Cinematográfica al Caribe

CAPÍTULO UNO

La EXPEDICIÓN AL CARIBE

La
Expedición al Caribe

POCO DESPUÉS DE COMENZAR EL SEMESTRE DE PRIMAVERA de 1932 apareció este anuncio en los tableros de varias universidades de Estados Unidos: "Se buscan jóvenes inquietos con intensos deseos de viajar, para la Expedición Cinematográfica al Caribe. El costo por solicitante es de 250 dólares que deberán pagarse en el muelle de

Baltimore antes de zarpar. Deben estar sanos, ser formales, ingeniosos, imaginativos y aventureros. Por favor absténganse de presentar una solicitud todos aquellos que se dediquen a la vida social o al turismo".

Los interesados en esa travesía tenían que ponerse en contacto con el señor Phillip W. Browning de Puerto Huron, Michigan o con el señor L. Ronald Hubbard, de Washington, D.C. A los que contestaron, se les informó además que esta expedición por el Caribe se haría a bordo de una goleta de cuatro mástiles sin motor (de hecho era una de las últimas goletas de ese tipo que existían) y que conllevaría la filmación de guaridas de piratas para noticieros cinematográficos. Entre otras escalas previstas, estaban las islas Bermudas, Martinica, Santo Tomás, Santa Cruz, Jamaica y Puerto Rico. También de interés fue lo que Ronald describió como "datos sobre el terreno y los habitantes de estas islas poco civilizadas", así como

fotografías desde los bordes de cráteres volcánicos activos, por la modesta inversión de 250 dólares por estudiante. Algo a lo que no se dio publicidad, pero que de inmediato fue evidente para todos los participantes, fueron las dificultades económicas para llevar a cabo un viaje de este tipo en el periodo más crítico de la Gran Depresión. Además, iba a ser una aventura completamente independiente:

Abajo
Doris Hamlin, como apareció ante los primeros miembros de la Expedición Cinematográfica al Caribe

Izquierda Capitán L. Ronald Hubbard, en la Expedición al Caribe

tripulada, financiada y dirigida por los mismos cincuenta y seis estudiantes. Sin embargo y pese a todas las dificultades que enfrentó, incluyendo a los abastecedores deshonestos y a los recalcitrantes agentes de arrendamiento, esta fue la Expedición Cinematográfica al Caribe.

Ciertamente fue un plan muy atrevido. Ronald mismo lo describió como audaz y habló de una docena de detalles problemáticos: desde el alquiler de cámaras de 35 mm para la filmación de los noticieros cinematográficos, hasta la compra de provisiones. (Entre otros contratiempos, Ronald hablaba de un estudiante entusiasta, pero desafortunado, que compró mil cajas de ketchup en lugar de los mil tomates que se necesitaban. Mientras que otro reventó los tanques de agua después de taponar los ventiladores y abrir a tope una manguera de alta presión). Luego estaba el barco: el *Doris Hamlin,* de casi setenta metros de eslora, que todavía olía mal a causa de su cargamento anterior de ganado y era relativamente conocido en círculos náuticos por haberse desviado de su curso bajo el efecto del viento más que cualquier otro barco en los registros de la historia. Finalmente, en el último

Arriba
Alzando velas en
el Atlántico

Izquierda
La cubierta al sol
del *Doris Hamlin*
en el Caribe,
fotografía de
L. Ronald
Hubbard

ESTADOS UNIDOS

Baltimore

Océano Atlántico

BERMUDAS

Mar de los Sargazos

BAHAMAS

CUBA

Ponce · Estrecho de VIEQUES

HAITÍ

PUERTO RICO

Fort-de-France

MARTINICA

Arriba
Ruta de la
Expedición
Cinematográfica
al Caribe.

minuto surgió la enfermedad de su compañero de aventuras y codirector de la expedición, Phillip Browning, lo que dejó a Ronald sin su equipo cinematográfico y además él sólo tuvo que cargar con toda la responsabilidad.

Las primeras leguas fueron igualmente difíciles, con vientos capaces de desgarrar las velas al salir de la Bahía de Chesapeake y graves filtraciones en los depósitos de agua. A esto siguieron dificultades con el antiguo cocinero, lo que exigía que LRH ayudara en la cocina, mientras que el severo Capitán Garfield resultó distar mucho de ser el capitán valiente que se había anunciado y fue necesario que LRH ayudara tanto al timón como en las cartas de navegación, donde sus anotaciones a la larga beneficiarían a los pilotos de las Antillas Menores. Finalmente, en una carta reveladora desde las Bermudas, donde once miembros de la tripulación renunciaron,

Arriba a la Izquierda,
Reparando velas derribadas por el viento

Arriba a la derecha
Elevando las gavias

Izquierda
El fin de la tierra después de la gran aventura en el ocaso de su juventud

Ronald menciona carne contaminada, mareas contrarias y recursos financieros tan "desgastados y deshilachados" como las velas del *Hamlin*.

"Las desgracias nunca vienen solas", Ronald comentó inteligentemente desde Puerto Rico, donde mencionó algunos gastos inesperados de remolque y cuotas portuarias. Garfield había hecho trizas el foque y el petifoque, lo cual hizo que el viaje del *Hamlin* llegara a su fin, pues había dejado sus velas como "un montón de trapos". Sin embargo, y como nota final, Ronald habló también de la pesca de barracudas en el Mar de los Sargazos, de cómo surcaron el hermoso Estrecho de Vieques buscando muestras de corales y, lo que es más significativo, el ascenso al ardiente cráter del Monte Pelée para captar una toma fotográfica muy inusual.

A modo de nota histórica, el Monte Pelée de hecho había demostrado ser uno de los volcanes

más salvajes. Su última erupción había sido en 1902, y había destruido por completo la ciudad de Saint-Pierre matando a alrededor de treinta mil habitantes. Por lo demás, sería muy difícil mejorar las siguientes observaciones de LRH tomadas de las transcripciones de un programa de radio en 1935:

"Estaba yo en Martinica, esa isla negra y amenazadora, y quería echar un vistazo al salvaje volcán del Monte Pelée que en la actualidad es un pico de coléricos rescoldos que ensombrece el tranquilo y azul Caribe. En ocasiones escupe hirvientes rocas fundidas y trata de repetir su hazaña una vez más. Está medio vivo, pero nunca se sabe cuándo volverá a explotar".

"Estaba muy interesado en el Monte Pelée y una tarde fui a San Pedro para escalarlo. Nadie me dijo que estaba más lejos de lo que parecía y que se me haría de noche. Y que la lava rodaba ladera abajo. Por pura ignorancia, empecé mi ascenso".

"Casi había oscurecido cuando alcancé la cima. Mis zapatos estaban negros y quemados, puse mis calcetines sobre una roca para que se secaran y la roca los quemó por completo. Estaba empapado por las lluvias repentinas y medio sofocado por los gases. Era de noche cuando empecé a descender. El Monte Pelée decidió divertirse un poco conmigo".

"Grandes peñascos de varias toneladas empezaron a rodar ladera abajo, incandescentes y retumbantes. Era necesario esquivarlos y hacerlo con rapidez para evitar ser mutilado. Perdí la cuenta de las veces que estuvieron a punto de golpearme. El cielo resplandecía con un color rojo sombrío que provenía del cráter. De los peñascos salían chispas al rebotar. Las rocas palpitaban de calor a mi alrededor. Pero llegué abajo sano y salvo, me veía y me sentía como si hubiera atravesado el infierno".

En cuanto a qué más se puede decir de esta Expedición Cinematográfica al Caribe, el *New York Times* adquirió las fotografías del Monte Pelée, el Museo Nacional finalmente adquirió los especímenes de coral del estrecho de Vieques, e incluso cincuenta años después, quienes navegaron con L. Ronald Hubbard en 1932 seguían describiendo ese viaje como una gran aventura en los últimos años de su juventud. ■

Arriba
Dos rutas hacia el volcán de Martinica, Monte Pelée

Extrema Izquierda
miembros de la Expedición al Caribe ascienden las pendientes del ardiente Monte Pelée, 1932

La última de las goletas de cuatro mástiles;
una dama magnífica aunque temperamental

Un Memorándum Náutico

LA VÍSPERA DE LA PARTIDA DE LOS MUELLES DE BALTIMORE, MARYLAND, TODOS LOS MIEMBROS de la Expedición Cinematográfica al Caribe dirigida por Ronald recibieron el siguiente "memorándum náutico":

EXPEDICIÓN CINEMATOGRÁFICA
AL CARIBE
2124 I ST. NW. TEL. WEST 0938
WASHINGTON, D.C., 4 DE JUNIO DE 1932

SEÑORES:

Se requiere que todos los hombres se encuentren a bordo y con sus cosas estibadas antes de la noche del 18 de junio. Se recomienda que todos sin excepción se presenten el día diecisiete, ya que tendrán que encargarse de conseguir y guardar sus uniformes, su equipaje y su tabaco para mascar. Además hay que estibar provisiones, clavar tablas, enhebrar, sujetar y enrollar cables, y (sin duda) unos tres mil y pico detalles más que atender, los cuales siempre izan su bandera de socorro en el último momento.

Por favor, informen de inmediato del tamaño, cantidad y tipo de película que usarán en la expedición. Se empacará de manera especial con el embarque principal.

El ferrocarril de Pennsylvania ha prestado ayuda a los preocupados promotores de este crucero y entregará por escrito a cada hombre las instrucciones relativas al tren. Todo el equipaje debe enviarse por el Ferrocarril de Pennsylvania con atención a la Expedición Cinematográfica al Caribe.

A nadie más que a ustedes les concierne qué, cuál o cuánto equipaje traigan consigo. De cualquier modo, es probable que la mayor parte se quede en Baltimore. Por favor, cuenten con conseguir sus "uniformes" en las tiendas de artículos para marineros de la calle Pratt. La indumentaria es la más práctica y duradera que puedan conseguir. Y su precio el más bajo. Se deberían omitir los smokings, abrigos y guantes de la lista de artículos personales. Sólo se necesitan orejeras para protegerse del mordaz lenguaje marino.

DORIS no tendrá una biblioteca, de manera que unos cuantos libros, en especial algunos que traten sobre bucaneros audaces y malvados, serán un buen complemento para su guardarropa.

Incluyan las Bermudas en el itinerario. Al menos, más les vale hacerlo, ya que el Capitán Garfield ya las incluyó.

Es probable que los gastos imprevistos en el crucero se reduzcan a cerveza (si toman cerveza), cigarrillos (si son demasiado orgullosos como para piratearles tabaco de pipa a los nativos), loros (a 1 centavo la tonelada), bananas (a una centésima de centavo el cargamento) y baratijas (si son la clase de marino que tiene una novia en cada...). La película, el revelado y la impresión les saldrán al costo.

Solamente hay un punto importante que recordar, compañeros, y si no me creen, se pudrirán encadenados por los siglos de los siglos. Cuando nos alejemos de esta gloriosa nación, Estados Unidos, el veinte de junio, sólo tendrán un rey, un dios y un señor: el Capitán Garfield. Pero créanme, caballeros

Arriba "Por favor absténganse de presentar una solicitud todos aquellos que se dediquen a la vida social o al turismo" —LRH

andantes, cuando digo que él es justo. Nos llevará y nos traerá de regreso, pero, ay de aquel que viole las leyes del mar y diga: "Ajá, amigo", en lugar de "¡A la orden, Señor!". Los directores, el personal y la tripulación son hermanos de corazón.

Las comunicaciones se llevarán a cabo a través de la Liga de Transmisión Radiofónica de Hartford y nuestra posición se publicará diariamente en las noticias navales. De manera que ustedes puedan recibir sus cartas y demás sin ningún contratiempo. Avisen a sus amigos que se pongan en contacto con la Liga (Hartford, Connecticut) y las compañías de barcos de vapor transportarán los sacos del correo.

¡Yu ju y una botella de ron, y hasta que los veamos caminando por el muelle, marineros de agua dulce!

LRH de la Expedición
Cinematográfica al Caribe

Derecha Mal tiempo en el Atlántico durante el trayecto hacia Martinica; fotografía de L. Ronald Hubbard

Notas sobre "La Saga de un Pico para Extraer Muestras"

Entre otras historias menos importantes del primer viaje de Ronald por el Caribe, está la de una tarde que pasó en el puerto de San Juan, Puerto Rico escuchando historias sobre el oro aluvial en el interior rural de esta isla. Si a dichas historias se añade el hecho de que su Expedición Cinematográfica al Caribe acabó costándole una fortuna, pues había asumido las deudas de Phil Browning; durante mucho tiempo su padre había soñado con aumentar su paga de teniente mediante una operación minera y una pequeña inversión de capital por parte de otros oficiales de la misma mentalidad, de pronto tenemos los ingredientes del segundo viaje de Ronald hacia latitudes meridionales.

Muy adecuadamente, tituló su relato formal de esta Expedición Mineralógica a Puerto Rico (también conocida como la Expedición Mineralógica a las Antillas), "La Saga de un Pico Para Extraer Muestras" refiriéndose a la herramienta indispensable para buscar oro. A todo lo que él nos ofrece a grandes rasgos, añadamos algunas cuantas notas incidentales más. Aunque a lo largo de su narración su tono se mantiene alegre y despreocupado, la realidad es que Puerto Rico demostró ser duro y durante mucho tiempo Ronald solía tener a mano botellas de quinina por los recurrentes accesos de malaria. A pesar de no haber logrado encontrar el legendario filón del "metal áureo", la aventura de hecho resultó lucrativa gracias a la reivindicación de derechos a yacimientos de silicio, manganeso y otros minerales de menor importancia. Sus alusiones a los jíbaros son significativas, ya que llevó a cabo mucho trabajo etnológico en los pueblos del interior, con particular atención a esa curiosa mezcla de catolicismo y vudú conocida como espiritismo. Finalmente, debemos reiterar que esta expedición a Puerto Rico constituyó el primer estudio mineralógico completo bajo jurisdicción estadounidense, y aún se recuerda por otros motivos en las crónicas de las grandes aventuras.

LA SAGA DE UN PICO PARA EXTRAER MUESTRAS

de L. RONALD HUBBARD

ESDE EL DÍA EN que los conquistadores abandonaron las islas en busca de campos más fructíferos y los putrefactos pantanos de América Central y América del Sur, buscadores de oro veteranos han peinado las playas por todas las Antillas en busca del ilusorio oro. Cada valle en las Antillas parece albergar una leyenda relativa a los americanos que perdieron su fortuna y algunas veces la vida en sus búsquedas febriles.

Los archivos de las islas están repletos de recibos por los lingotes de oro que abarrotaron las arcas de la España medieval y alimentaron su gloria, y nos basamos en la teoría de que no es posible que los españoles hayan agotado toda la riqueza mineral de las islas (y por consiguiente el golpeteo del pico para extraer muestras se escucha desde Cuba hasta Trinidad), aunque las bonanzas de las Antillas todavía pertenecen a un futuro incierto.

Sin embargo, es romántico ir a buscar oro siguiendo las huellas de los Conquistadores, en los lugares de caza de los piratas en islas en las que la presencia de Colón todavía impregna el ambiente, y no me quejo del sudor que salpicó los ríos fangosos, ni de los jirones de tela color caqui que el viento probablemente se habrá llevado de los espinosos arbustos hace ya mucho.

Esta continua búsqueda de oro por las Antillas ya había estado en marcha durante varios siglos antes de llegar a mis oídos y es posible que hubiera continuado bastante tranquila sin mí, de no ser por una serie de sucesos que cambiaron por completo mi destino y pusieron frente a mí la propuesta de ganarme un millón.

Izquierda Recogiendo muestras cerca de Corozal, 1932; fotografía de L. Ronald Hubbard

Washington, D.C.

Norfolk

ESTADOS UNIDOS

Océano Atlántico

CUBA

Guantánamo

Cabo Haitiano

REPÚBLICA
DOMINICANA

San Juan

Puerto Príncipe

HAITÍ

Santo
Domingo

PUERTO
RICO

Arriba
La ruta a
Puerto Rico de
la Expedición
Mineralógica
a las Antillas

Arriba
Miembros de una compañía en un área que no se sabía si era productiva cerca del Río Corozal, 1932; fotografía de L. Ronald Hubbard

Cuando surgió el problema del millón de dólares, escudriñé mi memoria y recordé una pequeña mesa sin pintar en un destartalado antro de San Juan, en Puerto Rico, donde un aventurero latinoamericano, algo parlanchín bajo el efecto del whisky, había matado el tiempo contándome una aventura tras otra sobre buscadores de oro, nativos con bateas para sacar oro, toneladas de lingotes de oro español, esclavos con sacos de piel acarreando tierra a las orillas de los ríos bajo el chasquido de látigos españoles, y americanos que recogían maravillosos minerales de ríos que destellaban con el oro y la plata y que aguardaban la incursión de ansiosos buscadores de oro procedentes del norte.

Este incidente ocurrió mientras yo dirigía una expedición cinematográfica en las Antillas.

Mi ingeniero de minas se llamaba J. B. Carper, de Washington, D.C., y se jactaba de conocer a la mayoría de los Hammonds y Joplins del mundo de la minería. Era muy impresionante a primera vista, pues sus ojos eran de color azul celeste y su panza excesiva inspiraba confianza. Nos equipamos con bateas para minería, un pico para extraer muestras, y algunos productos químicos y ácidos, y decidimos que estábamos preparados para lo peor. Inversionistas habían invertido ochocientos dólares a cambio de su participación en posibles beneficios, y debido a su edad y aspecto responsable, el dinero le fue debidamente confiado al ingeniero. Ese fue un grave error, pero poner incluso una cantidad tan pequeña en manos de un joven que apenas había cumplido veintiún años no era una práctica habitual y me vi obligado a aceptar esos arreglos.

Al llegar a Puerto Rico, el jefe de la Cámara de Comercio del gobierno insular nos ánimo. Nos citó varios documentos relativos a los lingotes españoles, nos mostró papeles que le había entregado el Comité de Minerales y, como guía, nos dio "al alma" del comité, un pequeño hombre inglés que contaba historias muy

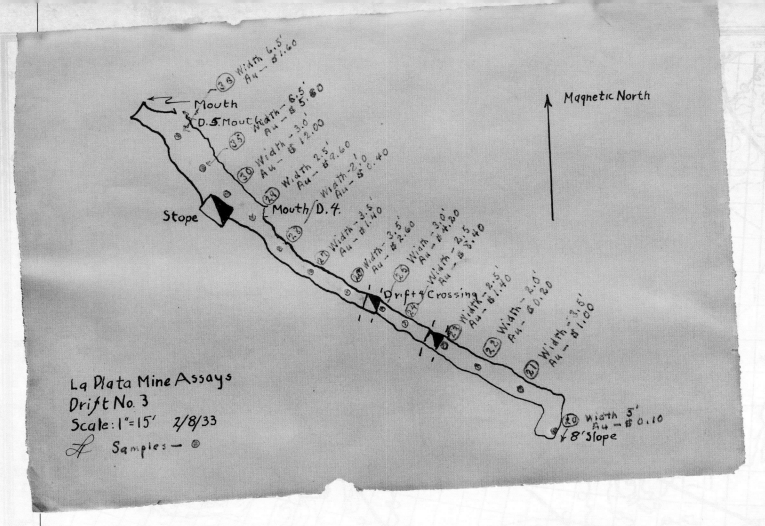

interesantes, si bien de veracidad discutible. El hecho de que intimara con mi ingeniero fuera del alcance de mis oídos no me pareció muy extraño en un principio.

Pero no fue el inglés quien me dio una panorámica verdaderamente pintoresca del pasado minero de la isla. De eso se encargaron la locuacidad española del estimado Don Martín Ibáñez, quien por iniciativa propia, actuó como representante de la Cámara de Comercio de Corozal, y un minero nativo llamado José Rodríguez.

Corozal, que se convirtió en nuestro centro de operaciones, se encuentra en lo más profundo de las montañas al suroeste de San Juan. Es el centro de una región en la que hay cinco ríos, los cuales arrastran oro aluvial. Muchos nativos del pueblo se ganan la vida pasando indolentemente la batea por estos ríos. Varios mineros habían pasado por aquí y habían dejado deudas o sus escasos fondos en la cuenca del río.

Tal vez el más pintoresco de estos buscadores de oro fue uno procedente del norte llamado Sayer, que en cierta ocasión había sido rico. Murió en ese pueblo unos años antes de nuestro debut, aunque los monumentos a sus locuras aún permanecen, así como su pequeña casa de estilo holandés, construida como desafío al calor tropical, que aún está frente a la plaza pública. Invirtió cincuenta mil dólares, veinte años y finalmente su vida, en la búsqueda del metal áureo, pero se nos aseguró con entusiasmo que sólo su propia estupidez le había impedido descubrir una gigantesca fortuna.

Don Martín hablaba excelente castellano, y yo no tenía que hacer un esfuerzo excesivo para entenderle, pero Don José había perdido los dientes en los primeros años de su carrera como buscador de oro, y su seseo del lenguaje de los montañeses habría sido imposible de entender a no ser por el movimiento de sus brazos y las terribles pantomimas que acompañaban a cada uno de sus relatos. En las historias que José contaba de Sayer, solía imitar el modo de hablar del americano, y como Sayer había olvidado casi todo su inglés debido a su larga estancia en Corozal, el resultado te destrozaba los oídos.

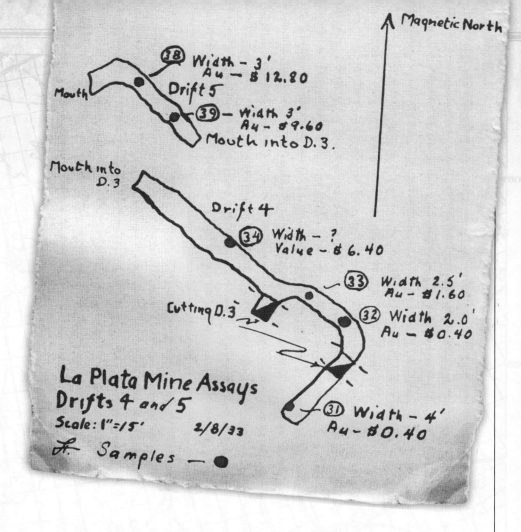

En compañía de José y Martín inspeccionamos las presas de cemento, ahora casi demolidas, que Sayer había levantado para sus canales de lavado, y escuchábamos cómo la lluvia invariablemente hacía que se desbordara el río y se llevara el equipo justo antes de que se pudiera recuperar algo de oro.

Después de localizar un punto apropiado, Carper construyó un canal de lavado de prueba con tablones de desecho, e iniciamos la tarea de canalizar el río Negro, con la esperanza de encontrar fabulosas riquezas. El canal de lavado en sí era algo muy simple: un cajón de seis metros y medio, sin tapa, de treinta centímetros de profundidad y otros treinta de ancho, y con ranuras transversales colocadas a intervalos de diez centímetros a todo lo largo del cajón. A mí me tocó la mayor parte del trabajo relacionado con construir este canal, pues nadie esperaba que un ingeniero se rebajara a hacer tareas de peón, y los nativos no eran lo bastante fuertes como para hacer malabares con sacos de yute de ciento ochenta kilos. Construí una larga presa a sobre el río poniendo estos sacos de orilla a orilla, en pilas de tres, de tal forma que la cantidad de agua necesaria (quince centímetros de desnivel cada cuatro metros de canal, con una profundidad de casi dieciocho centímetros) fluyera a través de nuestro cajón.

Seis nativos, a razón de cincuenta centavos diarios por cabeza, metían en el cajón la grava que contenía el oro, mientras una bomba de gasolina sacaba el agua que se filtraba del río para mantener seco el pozo en que estaban.

No se esperaba que descubriéramos grandes cantidades de polvo de oro, ya que cada mañana camino del canal de lavado pasábamos por el famoso cementerio de Corozal donde había oro aluvial en abundancia. Cuando alguien muere en el pueblo, los únicos gastos son para el cura y el ataúd, porque quienes cavan la tumba lo hacen para tener el privilegio de lavar la tierra que extraen para obtener oro. Y se dice que en una ocasión encontraron seis mil dólares en pepitas de oro en una sola tumba.

El calor era terrible y la mayor parte del tiempo estábamos empapados, ya fuera por un inesperado aguacero tropical o por nuestra propia transpiración. No sé qué era peor, pues los aguaceros caían con tal violencia que lo dejaban a uno completamente empapado, y el sudor corría por nuestra frente produciéndonos ardor en los ojos. Durante esos aguaceros, los nativos saltaban al río con toda su ropa y se ponían a nadar, contentos de tener un momento de calma en sus actividades.

Pocos días después, supimos lo que significaba una subida en el nivel del río. Una muralla de agua de cuatro metros de altura se nos echó encima dejándonos sin tiempo para lanzar el cajón de lavado hacia la ribera del río. Se llevó mis sacos de arena, y con el corazón destrozado recordé la tortura que supuso lanzar esos sacos de ciento ochenta kilos a la impetuosa corriente.

Este incidente dio por concluido nuestro trabajo en el río Negro, porque habíamos trabajado en el canal de lavado diez días, a un costo de treinta dólares, y habíamos recuperado menos de quince dólares en oro. Y me dijeron que eso no es un buen negocio.

Así que Carper, junto con el pequeño hombre inglés, exploraron la isla en busca de terrenos nuevos y mejores. El británico estaba algo avergonzado por nuestro fracaso, ya que había asegurado por escrito a su comité que había oro en el río a un promedio de casi tres dólares por metro cúbico, mientras que nosotros habíamos encontrado que era un poco menos de veinte centavos.

Transportamos nuestro canal de lavado a los tramos medios del río Maravilla, a varios kilómetros de Corozal, donde José Rodríguez afirmaba haber sacado con su batea muchos dólares en polvo de oro. Y una vez más concluimos la tarea de construir una represa con la adecuada caída de agua y empezamos nuestro trabajo. Pero este lugar no fue más fructífero que el anterior, y como Carper me había dejado a cargo del canal por unos días, cerré el negocio y les pagué el finiquito a los trabajadores con el resto de mi dinero. Después me senté en cuclillas preguntándome qué habría encontrado Carper que lo había retenido durante tanto tiempo en la isla.

Pero no tuve que preocuparme mucho tiempo por Carper ni por trabajar en los canales, ya que repentinamente desapareció de la escena con el resto de los ochocientos dólares, sin siquiera decirme adiós.

Después de eso tuve tiempo de sobra para estudiar la historia de la minería de oro en Puerto Rico, ya que estaba demasiado arruinado como para buscar oro excepto con una batea, y como de costumbre, la ayuda era terriblemente lenta.

Martín y José se esforzaron al máximo para consolarme con historias de grandes riquezas, y aprendí un poco sobre la minería de oro. José había encontrado trabajo con casi todos los buscadores de oro que habían venido a la región y me contó cómo llevaban a cabo su trabajo, lo estúpidos que eran y por qué al final no lograban hacerse ricos. Martín tenía un libro de química en español, impreso en el 1800 y con esto como su recurso de casación, se proclamó un competente ingeniero en minería. Siempre que yo cuestionaba alguna declaración de Martín relativa a trozos extraños de roca, él les daba un tirón a sus fieros bigotes y sacaba su libro de consulta del bolsillo trasero de sus sucios pantalones para probar lo que había dicho con palabras que ni él ni yo sospechábamos que existieran en la lengua española.

Era evidente que tanto Martín como José se ganaban la vida buscando oro con una batea para oro, aunque sospecho que José dependía del dinero que sus hijas ganaban como maestras de escuela, y que los cofres de Martín de vez en cuando se llenaban gracias a un bien conocido grupo político del que él era el defensor en Corozal. La búsqueda de oro era su deporte y su pasatiempo, y ellos nunca pudieron comprender por completo el hecho de que mi enfoque hacia ella era estrictamente comercial.

Izquierda
La región interna de Puerto Rico, donde entre grandes helechos, gruesas espinas y entrelazada maleza, la tierra firme resultó ser tan engañosa como las legendarias vetas de oro; fotografía de L. Ronald Hubbard

Es cierto que se podía sacar polvo de oro con una batea en cada río de la región, y que sólo hay algunos puntos donde el oro está ausente por completo. A base de usar la batea religiosamente, un nativo es capaz de ganar por lo menos cincuenta centavos al día con su batea, aunque el promedio era mucho menor. En lugar de nuestras bateas de acero para minería, ellos usan un cuenco de madera en forma de sombrero de culi cantonés al que llaman "gaveta". En realidad esta palabra en español significa "cajón de cómoda", y por eso, supongo que es un término local. La "gaveta" se hace de una sola pieza usando el tronco de un árbol grande, y como los árboles grandes casi se han extinguido en la isla, cada año se vuelve más difícil conseguir bateas de madera. Las "gavetas" son fáciles de manejar, y en las condiciones del trópico son, de hecho, más prácticas que las bateas de acero, ya que el sudor de la mano es suficiente para hacer que el oro no se asiente en la batea y regrese a la corriente del río. La madera, a diferencia del acero, parece no retener la grasa que hay en la superficie del agua. Los nativos emplean un movimiento circular oscilante, nada tradicional, pero son capaces de separar el oro de la arena negra, que es el enemigo del minero, con gran facilidad.

Estando aburrido, solo y arruinado, encontré una "gaveta" e intenté determinar a base de experimentos la cantidad real de oro aluvial que hay en los ríos de Corozal, y con este método descubrir la veta madre de todo el oro de la región. Pero dondequiera que fuera en esa zona, la cantidad de oro era desalentadoramente constante y su grado de concentración no indicaba la ubicación de ningún afloramiento. Esto era un hecho extraño y bastante difícil de entender, ya que de acuerdo a todas las leyes conocidas de la geología, debería haber un punto de concentración o una veta madre. Pero no lo había y eso me dejó totalmente perplejo.

Después de haber desgastado mis botas durante un periodo de dos meses, me conformé con escuchar historias, esperando que la dueña del hotel donde me hospedaba recordara algo de su religión cuando yo le pidiera otra vez un aplazamiento en el pago.

Aquel hotel es realmente digno de mención. Era una construcción de una sola planta en la esquina de la plaza, directamente frente a la cárcel. Los suelos carecían de pintura, las ventanas de cristales, el edificio de silencio, pero la comida distaba mucho de carecer de esa sustancia tan querida por los españoles: el ajo. La dueña del hotel era todo un personaje en el pueblo; un alma alegre con kilos de sobra que ya había consumido a dos esposos y se había divorciado de un tercero. Pero aparte de su continua charla a todo volumen, era muy fácil de sobrellevar.

Mi cuarto estaba directamente sobre una pocilga, y a través de las rendijas

Abajo
Bateas de lavado de Ronald para extraer oro aluvial del fondo de un arroyo

Arriba
Pequeños caballos y mulas reemplazaron a los vehículos conforme el terreno interior se volvió más escarpado; fotografía de L. Ronald Hubbard

del suelo podía ver a las amigables bestias moverse de un lado a otro. Mi ventana estaba frente a una pared desnuda a un metro de distancia, y mis mosquitos eran sin duda los más grandes que jamás se hayan visto en la cautividad de un mosquitero.

Corozal en sí era una pequeña localidad bulliciosa que albergaba unas cinco mil personas en las cuatro calles que rodeaban la plaza. Era el típico pueblo antillano con su iglesia en el centro de la plaza y el sistema de alcantarillado en medio de las calles. Aunque era pequeño no carecía de entusiasmo. Cada noche en el cine se proyectaban películas del oeste, siempre había caballeros españoles borrachos discutiendo con la policía, y al menos una vez al día el impacto de algún crimen de importancia asombraba a la población. Por ejemplo, un día un niño le robó tres centavos a la dueña de mi hotel, y se lo llevaron llorando. Y tenía razones para llorar, porque debía pasar unos cuantos años en un reformatorio.

Los españoles no tienen piedad en cuanto al crimen y hacen todo lo necesario para capturar y castigar con presteza a los criminales. Les imponen hasta tres meses de cárcel a aquellos que asesinen a su vecino a sangre fría. Y por lo general la sentencia se impone al culpable por atreverse a llevar un arma oculta. Como el permiso de portar armas que da el gobierno cuesta treinta y cinco dólares, la tasa está por encima de las posibilidades de los montañeses, y la mayoría se ven obligados a portar armas sin autorización legal. Un cuchillo de dieciocho centímetros también se considera un arma oculta, aun cuando se lleve a la vista de todos, sin embargo, los nativos llevan sus machetes de sesenta y tantos centímetros balanceándose del cinturón sin que nadie los moleste.

La cárcel al otro lado de la calle, completamente visible desde la puerta externa de mi habitación, ofrecía bastante entretenimiento. En cierta ocasión albergó a un asesino durante sus tres meses de costumbre, y cada mañana me despertaba con el sonido de su alegre conversación mientras mascaba caña de azúcar en la escalera de entrada de la comisaría, y charlaba de política con sus conciudadanos.

También teníamos a una mujer que estaba loca y que animaba un poco el ambiente, cuando se volvía demasiado aburrido, con ataques de locura en el centro de la plaza pública. Era joven y extremadamente salvaje, casi siempre elegía las nueve en punto como la hora de su exhibición.

Una noche que paseaba yo por la plaza, más bien tarde, me encontré al asesino caminando complaciente frente a la iglesia. Hacía girar una llave alrededor de su dedo índice. Quedé sorprendido y así se lo dije, pero me explicó, encogiéndose de hombros a la española, que habían metido a la loca en su celda y sus canciones y chillidos lo molestaban demasiado, así que pensó que lo mejor era encerrarla. Pero su queja principal era que ella le había robado el lugar de descanso que por ley le correspondía, y que se había visto obligado a pasear por la plaza el resto de la noche. A la mañana siguiente, ya estaba de nuevo en la escalera de la comisaría mascando su caña de azúcar y explicándole a su audiencia las últimas maniobras del Partido Liberal.

Esta gente es una mezcla de más de cinco razas en diversos grados y algunos de los efectos son sorprendentes. Los indios caribes habían habitado en la isla antes de la llegada de Colón y en consecuencia resultaron agraciados con una buena cantidad de sangre española. Los españoles habían importado chinos para trabajar en sus minas y en sus campos, y esta sangre se había mezclado con la de esos dos grupos. Después vino el africano de los barcos de esclavos, y después, la gente del norte. Ahora las cinco razas se han mezclado de manera inseparable, creando una nueva raza propia. Todas estas sangres se han juntado para crear al "jíbaro" o montañés que habla su propio estilo de español y que subsiste a duras penas con menos de lo que nosotros gastamos en tabaco.

Martín tenía el hábito de mirar una montaña y decir, gesticulando con vehemencia: "Mucho oro fino". Y antes de que yo pudiera detenerlo señalaba una hondonada en una ladera de la montaña y describía cómo los españoles habían encadenado a los indios caribes, a los chinos y a los negros en largas filas obligándolos a traer bolsa tras bolsa de tierra en sacos de cuero que les obligaban a lavar en los ríos para extraer el precioso metal amarillo.

Algunas de las historias de Martín acerca de estas excavaciones eran interesantes, aunque tal vez distaban mucho de ser verdad. Explicaba cómo los españoles habían adquirido trabajadores chinos de algunos gobernantes del sur de China, cómo a estos chinos se les había obligado a trabajar duro en las excavaciones de oro y en los campos y cómo los españoles habían evitado pagarles salarios a los potentados chinos. Al vencer los contratos de los chinos, según Martín, los españoles hicieron que los chinos fueran hasta el mar y les dieron a los tiburones una cena gratis. Después escribieron a China diciendo que todos los trabajadores habían muerto a causa de la fiebre.

Pero sin importar lo que los españoles hicieron, sin duda buscaron oro de manera concienzuda e inteligente. Aparentemente despojaron toda la isla de cualquier oro que pudiera haber tenido alguna vez, y encontré pruebas de que no se conformaron con el oro aluvial.

En lo más alto de una montaña, en la región de Palo Blanco, que tiene una ladera casi vertical de más de mil metros sobre un río, hay un antiguo pozo de mina, que en la actualidad no tiene más que una depresión en la parte superior. Y alrededor de esa depresión hay una pequeña cantidad de roca que es un cristal de cuarzo excelente. Esta roca está adornada con partículas de oro puro, y aunque no hay suficiente para permitir una actividad comercial, el hecho es que los españoles habían estado extrayendo oro de las rocas desde hacía tres siglos o más.

Es muy difícil buscar minerales en Puerto Rico. Toda la isla es una masa de montañas escabrosas y escarpadas, y la maleza que se encuentra más allá de los confines de los campos, es casi impenetrable. Y es obvio

Derecha
"Esta gente es una mezcla de más de cinco razas en diversos grados y algunos de los efectos son sorprendentes", —LRH; fotografía de L. Ronald Hubbard

que es más fácil ver un pequeño saliente de roca de sólo un metro de ancho cuando no está cubierto, y que es casi imposible verlo cuando está rodeado de densa vegetación tropical. Como la isla no fue cultivada en absoluto en la época de Colón, es fácil ver que los conquistadores se enfrentaron a una tarea colosal al realizar la minería de vetas.

Sin embargo, la minería del oro era casi lo único que esta gente conocía, ya que las costumbres de la isla, que en su mayoría aún no han cambiado después de cuatro siglos, presentan amplia evidencia de su ignorancia en relación a la agricultura y la industria.

Tras haber colonizado las Antillas, España estaba muy decidida a mantenerlas colonizadas. De los dos tipos de hombres que llegaron a las islas, sólo uno mostró cierta tendencia a permanecer y terminar la tarea

Abajo
Palo Blanco, en un principio excavada por los españoles en el siglo XVII; fotografía de L. Ronald Hubbard

a la que se enfrentaba. Este último tipo fue, claro está, el sacerdote, lleno de fervor religioso, deleitándose en las cantidades de paganos desamparados cuyas almas podía salvar. El otro tipo era el verdadero conquistador, sediento de oro y aventura, que utilizaba a los nativos como máquinas humanas para desempeñar las tareas que se les imponían. La mayoría de los españoles eran del tipo conquistador, y cuando desembarcaron, esperando encontrar montones de oro brillante aguardándolos a la orilla del mar, sólo encontraron montañas amenazantes en un territorio salvaje que sólo mostraría sus riquezas después de meses o incluso años de duro trabajo consagrado a estas.

Quizá por su pasado en España, los conquistadores que desembarcaron en Puerto Rico se dieron a la tarea de extraer su oro. Pero antes de lograr mucho en sus minas, ocurrieron dos cosas. Ponce de León llegó

Arriba
Sólo podía llegarse a las minas más antiguas agarrado al extremo de una cuerda; fotografía de L. Ronald Hubbard

como primer gobernador de la isla y Pizarro obligó a los incas a base de látigo a llevar cargamentos de oro a sus galeones.

Después de escuchar la historia de Pizarro, los españoles de Puerto Rico tomaron sus sombreros emplumados, se ciñeron las espadas, y empezaron a ver la forma de viajar a tierra firme. Pero Ponce de León, refunfuñando sin duda por su fracaso en encontrar la fuente de la eterna juventud, estaba decidido a que su colonia no se despoblara. Y así, antes de que un puñado de sus hombres pudiera hacerse a la mar, el gobernador dio la orden de permanecer en la isla a los restantes. Hizo construir un nuevo patíbulo y el verdugo le sacó brillo a su hacha, y los conquistadores recapacitaron sobre sus planes y se quedaron en la isla.

Pocos años después, la mayor parte de los aluviones auríferos habían sido explotados, las vetas de oro eran escasas, y para vivir fue necesario que los caballeros luchadores de la antigua Castilla transformaran en machetes las hojas de sus espadas toledanas, en un esfuerzo por tratar de hacerse ricos mediante la agricultura.

Pero es evidente que sabían muchísimo más sobre el arte de asar paganos que sobre segar sus cosechas. Recurrieron al método poco fiable de poner a prueba y eliminar errores, y así surgió el tipo puertorriqueño de agricultura, que aún se utiliza en la actualidad.

Una de las costumbres más significativas que nos hablan de los conquistadores es la manera en que uncen los bueyes en Puerto Rico. En casi todos los demás países del mundo donde alguna vez se hayan utilizado los bueyes como bestias de carga, el yugo descansa con firmeza sobre su cuello justo delante de la joroba. Pero no en Puerto Rico, porque aun hoy en día, cuando la gente ya debía haber aprendido, los puertorriqueños siguen la costumbre implantada por los conquistadores y uncen a sus bueyes por los cuernos. Evidentemente los primeros españoles no conocían ningún otro método. Un trozo de madera al final de la lanza del carro o del arado se amarra de modo seguro a los cuernos y absolutamente todo el peso que se empuja cae directamente sobre el cuello en vez de caer sobre las paletillas. En esta forma, sólo se puede llevar a cabo la mitad del trabajo, y el Sr. Buey sin duda se va a la cama con dolor de cervicales.

Desperdicié muchas palabras tratando de desarraigar esta costumbre y acabar con algo del legado español, pero siempre me topaba con la afirmación de que todos sabían que era una mala costumbre, pero que, por razones desconocidas, sus antepasados lo habían hecho de esa manera.

Cuando los conquistadores establecían una costumbre, el país por lo general se adhería a ella. Aún hoy en día, el traje de la mujer puertorriqueña es idéntico al que se usaba en España en los tiempos en que Colón regresó a su país para que lo tildaran de mentiroso. Este traje típico de las mujeres nativas es casi el mismo dondequiera que el conquistador desenvainó su espada. Las nativas de los Mares del Sur, cuando no están sudando virtuosamente bajo un vestido largo sin forma, usan las mismas galas que las puertorriqueñas. El traje consiste en una blusa hecha de gasa con mangas cortas y abombadas, talle corto y un colorido corpiño, que se embellece con una amplia falda que es simplemente unos cuantos metros de tela que cuelga de las caderas. Sería lamentable no usar la peineta en la oscura cabellera y el chal de alegre colorido. Incidentalmente, nunca he visto este tipo de vestimenta excepto en un cabaret que tenía coro.

Para cuando había yo llegado a la conclusión de que cada protuberancia en cada colina de Puerto Rico fue un vertedero de minas y que cada depresión era un aluvión aurífero que había sido excavado en el siglo XVII, mis amigos del norte me enviaron como apoyo a Thomas Finley McBride de la Escuela Butte de Minería de Montana, quien llevaba una pequeña medalla de oro la cual proclamaba que él había sido el graduado más prometedor el año anterior.

Mac descubrió que lo que más le desagradaba era el engañosamente perjudicial hábito de los nativos de recurrir a la palabra *mañana*. Durante su primera semana determinó que una de las razones por las que parecía avanzar con lentitud radicaba en su ignorancia del español. En consecuencia, se enfrascó en la tarea de dominar un nuevo idioma, y en el corto tiempo de tres meses fue finalmente capaz de darse a entender. Considero que este es el tiempo récord para aprender un nuevo idioma.

Mac y yo buscamos afloramientos del precioso metal arriba y abajo, a lo lejos y más allá, pero a pesar de nuestra

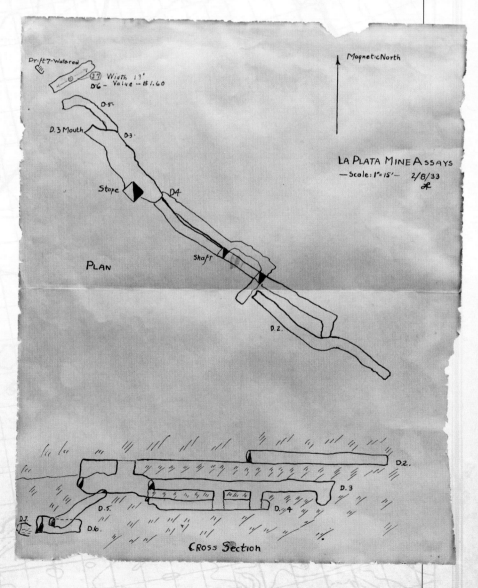

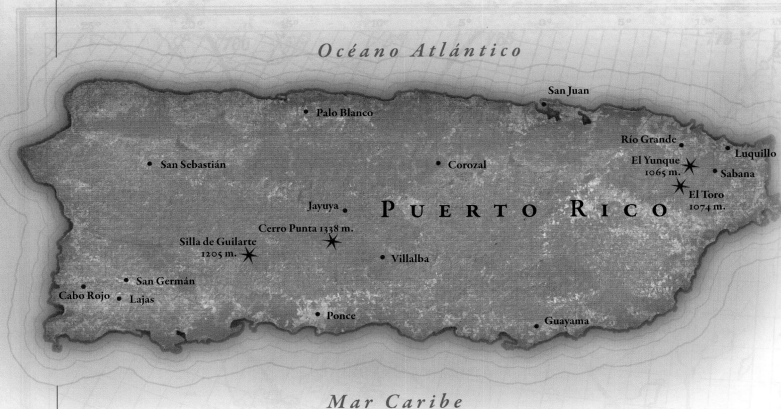

Océano Atlántico

Palo Blanco

San Juan

Río Grande

Luquillo

San Sebastián

El Yunque
1065 m.

Sabana

Corozal

PUERTO RICO

El Toro
1074 m.

Jayuya

Cerro Punta 1338 m.

Silla de Guilarte
1205 m.

Villalba

San Germán

Cabo Rojo

Lajas

Ponce

Guayama

Mar Caribe

búsqueda, nuestro sudor y nuestras maldiciones en español, finalmente redujimos nuestras zonas de posibles yacimientos a sólo cuatro.

Estas cuatro excavaciones eran todas recientes, pero los ingenieros que las habían hecho parecían carecer de conocimientos mineralógicos, y nosotros basamos nuestras esperanzas en la supuesta incompetencia de nuestros predecesores.

La primera se localizaba en lo alto de la selva de El Yunque, cerca del poblado de Luquillo. El río Sabana estaba muy cerca, y como nos habíamos enterado de que los conquistadores habían sacado con bateas gran parte de su oro de esta corriente, suspiramos y nos enfrentamos a la selva.

Cuatro nativos cortaban con machetes los helechos gigantes y la entretejida maleza y avanzamos con lentitud hacia nuestra meta. He visto terreno más denso en el Pacífico Sur y en las Filipinas, pero resentí este tramo de selva en particular a causa de un caballo. Por alguna razón que aún no he podido recordar, había llevado conmigo un caballo para el viaje. Era imposible montarlo, ya que tropezaba, embestía a través de los gruesos árboles cubiertos de espinas y tropezaba con las robustas y largas enredaderas. Guiarlo fue toda una aventura, pues no mostraba ningún interés en seguir mis huellas. Algunas veces fue necesario levantarlo para pasar sobre troncos caídos, primero un par de patas y luego el otro. Quizás esto parezca un poco extraño, pero debemos considerar que los caballos puertorriqueños son versiones en miniatura, sólo pesan más o menos el doble de lo que pesa un hombre.

Después de muchas horas de lucha sudorosa, alcanzamos nuestro objetivo y examinamos las tres patéticas muescas en una montaña de piedra y espinas venenosas. Las vetas eran sólo de unos cuantos centímetros de ancho y su ganga extremadamente pobre, con muy poco mineral.

Un ingeniero estadounidense llamado Morton había hecho estas perforaciones, y en San Juan se rumorea que se suicidó cuando se descubrió que era un espía del gobierno alemán durante la Guerra

Mundial. Sin embargo, Mac aseguraba que el hombre se suicidó por pura vergüenza a causa de sus limitados conocimientos de minería.

Esto me trae a la mente los relatos con los que yo solía provocar a Mac. Parecería que hasta la fecha ningún ingeniero de minas que haya invadido Puerto Rico ha vivido para contarlo, y de aquí se derivaba un fascinante juego cuyo propósito era la promesa de que Mac jamás viviría para regresar a sus Montañas Rocosas y a su chica.

Se podría decir que Sayer fue la primera víctima. Gastó su fortuna y se emborrachó hasta morir. Después llegó Morton en 1914. Trautman, un ingeniero que había hecho su fortuna con una mina de manganeso durante la Guerra Mundial, encontró una montaña repleta de vetas de oro y perforó ocho corredores en la resistente lava. Murió en el sur de la isla poco después de haberse empobrecido. Se supone que hace algunos años un joven estadounidense descubrió una rica veta en la región del Barrio del Carmen y uno de sus túneles aún sobresale en una ladera. Pero cuentan que poco después de su descubrimiento insultó a un ciudadano del Carmen mientras lo celebraba, y lo sepultaron en la cuenca. No muy lejos del Carmen, otro ingeniero estadounidense detuvo descuidadamente tres balas del arma de un jíbaro borracho. En toda la isla hay evidencias de las excavaciones de Peter Nelson, así como del propio Peter Nelson, hasta que murió de fiebre y de una sobredosis de coñac francés. La única mina importante que descubrió está tan enredada con accionistas que nadie jamás será capaz de extraer ganancias de ese sitio.

Eso te podría dar la idea de que nuestras carreras como mineros en Puerto Rico estaban cargadas hasta los topes de sangre y escándalo. Sin embargo, esto no fue exactamente así, porque el único accidente que sufrimos fue el resultado de mi indiscreta insistencia en montar una mula.

Habíamos inspeccionado el Barrio del Carmen, la mina de Minillas de Trautman en San Germán, y habíamos recorrido el terreno en general. Cuando regresábamos una vez más para echar un último vistazo a la cuenca del Carmen, que contiene un número asombroso de vetas sin valor, de pronto me cansé de montar a caballo. La mayoría de nuestros caballos eran animales ya desgastados, pero el que yo había montado durante dos días enteros, tenía los músculos tan tensos que parecía que sólo faltaba un paso más para consumar mi perdición. Así que rogué que me dieran una mula.

Esto trae a colación el tema de las cinchas, y me veo obligado a asegurar, con la voz llena de tristeza, que los conquistadores habían olvidado decirles a los nativos que la cincha va con la silla de montar, y durante los últimos cuatrocientos años, la cincha ha sido tabú.

Monté con descuido, cargando todo mi peso sobre el estribo izquierdo, sin saber que la mula era tuerta del ojo izquierdo. La silla de montar resbaló hacia su panza, mi bota campera se negó a dejar el estribo, y mi pie derecho, al levantarse, le asestó un golpe directo y personal a la mula.

Cuando recuperé el sentido, Pedro Rojas estaba inclinado sobre mí quejándose de que no tenía ni velas ni un cura y que mi alma iría sin duda al purgatorio. Moví los brazos, que había cruzado cuidadosamente, y me incorporé asustando con ello a Pedro que cambió de color mostrando tres tonalidades, para descubrir que mis costillas estaban en un sorprendente estado desfavorable.

Sin embargo, mi sufrimiento no tenía mayor importancia ya que nuestra labor había concluido. Habíamos trabajado como bestias y sudado durante meses y no teníamos nada como resultado que fuera más tangible que un mediocre vocabulario del crudo español montañés. De oro aluvial no habíamos encontrado nada que se pudiera comercializar. Las vetas eran numerosas pero con un contenido en oro sorprendentemente escaso.

Así que empacamos nuestras pertenencias y abordamos el primer barco de vapor con destino a casa.

Esto, con todo derecho, debería acabar mi saga, ya que se supone que uno no debe recurrir a las coincidencias en una narración. Pero como esta es una historia verdadera, por qué no ir al grano y rematarla.

Después de esto tuve un periodo tranquilo para recuperarme en la granja de un amigo en Maryland, y supongo que aún me estaría recuperando de no haber sido por una repentina añoranza de tiro al blanco.

Limpié un rifle del calibre veintidós y salimos a la huerta. Pero era algo difícil sujetar la diana a un árbol, y mi amigo descubrió un clavo oxidado y me dio una piedra. Había golpeado el clavo dos veces cuando mi amigo me preguntó qué aspecto tenía un mineral aurífero. Gesticulé con la roca en mi mano y mencioné de manera casual que ese mineral era muy similar al trozo de cuarzo que tenía en la mano. Entonces empecé a golpear el clavo una vez más. Pero mi amigo aventuró la sorprendente idea de que si el mineral aurífero tenía la misma apariencia que la roca que tenía en la mano, por qué la roca en mi mano no era mineral aurífero. Pensé en eso por un momento y luego volví a mirar la roca.

Parpadeando con gran rapidez finalmente logré decir que eso era sin duda un trozo de cuarzo que contenía oro.

Fuimos a la ladera de al lado y por dondequiera que mirábamos, veíamos mineral aurífero. Había toneladas y toneladas desparramadas por la superficie. Y luego descubrimos un afloramiento que indicaba la existencia de una veta imponente.

Aun entonces nos negamos a creerlo. O. Henry había fallecido hacía años y un final tan inesperado no era posible en la vida real. Sin embargo, ahí había una gran veta, toda en esta propiedad, y para conocer el valor de nuestro hallazgo, enviamos muestras del mineral a Nueva York para que se examinara la calidad del metal.

Mientras esperábamos que llegaran los resultados, mencioné nuestro descubrimiento de manera casual a uno o dos de los habitantes de Beallsville, pero a la manera característica de Maryland, me miraron y reanudaron sus discusiones sobre los subsidios para el maíz y las granjas.

Finalmente llegó el resultado y nuestro suspenso terminó al afirmar que el mineral tenía un valor de $82.47 dólares la tonelada por su contenido de oro con pequeñas cantidades de plata.

Pero esta fue la suprema broma de nuestra vida. Había caminado por este campo una y otra vez sin ver nada, y había viajado aproximadamente unos 2,000 kilómetros hacia el sur para encontrar algo que yacía a poco más de medio metro bajo las suelas de mis zapatos.

Y la moraleja de esta historia es: nunca vayas a buscar oro a las Antillas, especialmente cuando tienes una mina de oro en tu propio patio. *Ronald*

Izquierda Beallsville, Maryland, granja donde Ronald descubrió una veta de oro puro, 1933

LRH por el ilustrador/autor de retratos Richard W. Albright

¡Enterrado Vivo!

Entre las aventuras que caracterizaron la expedición de Ronald a Puerto Rico se encuentra el hundimiento casi mortal de un pozo minero en San Germán. Este incidente llegó a ser parte de la materia prima para una colección de famosas historias que aparecieron en la revista *Argosy*, reconocidas como la serie de "Trabajos Infernales", y se presenta aquí la observación que la revista *Argosy* publicó sobre el incidente tal como se presentó a los lectores en 1936.

L. Ronald Hubbard, escritor, aventurero, aviador, y ex infante de marina, casi pierde la vida al buscar información para su serie "Trabajos Infernales", en la que aparecen historias sobre profesiones peligrosas que actualmente publica semanalmente la revista *Argosy*.

Mientras inspeccionaba una mina en San Germán, Puerto Rico, estuvo más cerca de la muerte que cualquiera de sus héroes de ficción. Para poder inspeccionar la mina, fue necesario que Hubbard y un ayudante nativo se deslizaran a través de un pozo de mina medio derrumbado sostenido por vigas de madera podridas. La tierra se desprendía de las paredes y le caía por el cuello. Todo estaba en silencio, salvo el crujido de sus botas claveteadas. De pronto sintió que las vigas se derrumbaban sobre él. Se tiró al suelo. La vela se apagó. Se puso a gatas y empujó la espalda contra el muro tratando de no quedar enterrado vivo.

Seguía cayendo tierra. Durante varios angustiosos segundos, permaneció ahí en la oscuridad, esperando ser aplastado. No había nadie afuera que pudiera desenterrarlo. Con una tremenda sacudida el techo del túnel se derrumbó a unos tres metros de altura. Él se arrastró con ansiedad hacia adelante y hacia atrás en busca de una salida. No había ninguna. La viga de madera que él había estado sosteniendo se inclinó hacia adentro y después cayó, dejando a Hubbard y al nativo semienterrados. Apenas podía respirar. No podía ver. Empezó a aguardar una muerte que podía tardar días en llegar.

Pasó más de una hora. Finalmente escuchó unos crujidos. Botas claveteadas en el siguiente nivel. Hubbard gritó y entonces el rescate tuvo lugar en cosa de unos segundos. Casi justo encima de él había una excavación escalonada. Echaron una cuerda. Algunos nativos inquietos se habían preocupado por la ausencia del Sr. Hubbard y habían venido a investigar.

Dice el Sr. Hubbard: "Nunca estuve tan cerca de la muerte y nunca quiero volver a estarlo. Estrellarse con un avión, ahogarse, sufrir una descompresión al bucear, una explosión de nitroglicerina, una caída. Todo esto representa una muerte repentina y segura; pero yacer en un agujero en la tierra en silencio y esperar la muerte… eso es algo muy diferente". ∎

Campo Aéreo de College Park, Washington, D.C., 1933;
fotografía de L. Ronald Hubbard

CAPÍTULO DOS

Una Palabra Introductoria sobre "EN BARRENA"

Una Palabra Introductoria sobre
"En Barrena"

ASI INMEDIATAMENTE DESPUÉS DE SU REGRESO DE Asia, L. Ronald Hubbard de veinte años, convocó la primera y trascendente reunión del Club de Planeadores de la Universidad George Washington. En un principio respondieron menos de una docena de almas fervientes, y aún fueron menos las que se presentaron en el

Aeropuerto del Congreso para recibir lecciones en un planeador Franklin PS2. Así sin más nacieron Los Buitres de la Universidad George Washington y Ronald se lanzó a los cielos.

Se trataba de volar como se supone que el hombre debe volar: "De modo precario y por instinto", como lo expresaban los ingeniosos de entonces. Los instrumentos eran rudimentarios (a lo sumo un altímetro), mientras los planeadores se remolcaban atándolos al parachoques de un auto o se lanzaban de un precipicio por medio de gruesas cuerdas. Tampoco olvidemos además que, en gran medida, estos eran días de experimentación: Lindbergh había cruzado el Atlántico hacía sólo cuatro años y la mayoría de los artefactos que se levantaban al vuelo todavía estaban recubiertos de barniz y tela sujeta con alambre de cuerdas de piano. Sin embargo, debido a la proliferación de clubes en Alemania (donde el Tratado de Versalles prohibía el vuelo a motor) el planeador había despertado mucho entusiasmo

entre los estadounidenses a principios de la década de 1930. Más de unas cuantas universidades habían organizado clubes, mientras que muchas facultades de ingeniería ofrecían nuevos diseños. Por ejemplo, ese planeador Franklin PS2, con cabina cerrada (a diferencia de la cabina abierta de los modelos primarios) y que sin embargo era adecuado tanto para el entrenamiento como para el vuelo sin motor, había despegado inicialmente del tablero de dibujo en una universidad. Además, no sólo era un deporte para aficionados, pues incluso gente como Lindbergh y Frank "Mr. Pilot" Hawks no consideraban indigno volar en una nave sin motor.

El primer ascenso de Ronald fue típico. El 6 de mayo de 1931, bajo la tutela de los instructores locales Glenn Elliot y Don Hamilton, sujetó el morro del Franklin a un Ford Modelo T, en cuyo momento, como él nos cuenta: "El coche arranca; la cuerda se tensa; hay una nube de polvo donde la punta del ala se hunde en el suelo". Después siguieron dieciséis

Izquierda El legendario "Flash" Hubbard

Derecha
Como corresponsal itinerante para *The Sportsman Pilot (El Deportista Piloto)*, Ronald habitualmente proporcionó comentarios y fotografías de temas aéreos de actualidad. En este caso, un biplano del cuerpo de Marina en un encuentro aéreo en Maryland, 1933

vuelos a una altitud de ocho metros, otros diez vuelos a más de treinta metros y once giros lentos de noventa grados; todo eso mientras se preguntaba: "¿Qué tipo de fascinación ejerce un planeador que hace que un hombre coma, duerma, hable y vuele hasta llegar al borde del colapso?". Para finalmente obtener la licencia estadounidense N.º 385 de vuelo sin motor, fueron necesarios otros quince días de instrucción formal y un examen verdaderamente riguroso por parte del Departamento de Comercio. Pero en fin, a partir de entonces se le vio en los aires con regularidad: "sin ningún otro sonido más que el murmullo del viento en los montantes y tal vez el continuo golpeteo de la correa del casco azotando el borde de ataque del ala".

Pero que no se malentienda, eso era peligroso. Para 1931, más o menos trescientas almas se habían precipitado hacia la muerte en planeadores, mientras que un intento anterior de lanzar un planeador primario en la Universidad George Washington había enviado a un joven al hospital. No fue sin razón, entonces, que Ronald presentara su artículo "En Barrena". Como información adicional agreguemos lo siguiente: la alusión de Ronald a su primer roce con la muerte en los cielos apareció en la biblia del aviador conocida como *The Sportsman Pilot (El Piloto Deportivo)*, a la cual suministraba artículos con regularidad como corresponsal reconocido a nivel nacional. De dichas aventuras también brotó la materia prima para obras de ficción posteriores publicadas en revistas como *Argosy* y *Five Novels Monthly (Cinco Novelas cada Mes)*. Finalmente, el Club de Planeadores de Puerto Huron, en Michigan, había sido fundado por el mencionado Phil "Flip" Browning, de la Expedición Cinematográfica de Ronald al Caribe, de quien se hablará más en el siguiente artículo. ∎

EN BARRENA

de L. RONALD HUBBARD

PROBABLEMENTE HAS ESCUCHADO QUE el vuelo sin motor es un deporte que no se debe tomar a la ligera. Cualquiera que sea lo bastante tonto como para *mirar* un avión sin motor cancela su seguro de inmediato. Pregúntenle a Dick du Pont o a Jack O'Meara.

O lea lo que viene a continuación.

Había estado revoloteando bastante sobre alas silenciosas usando un automóvil como remolcador, ganando altura mediante una cuerda atada a la parte trasera de un automóvil y al morro del planeador y soltándola al llegar a setenta, ciento cincuenta, doscientos metros de altura.

Todo es muy silencioso y espeluznante cuando estás sentado allá arriba en las nubes, sin ningún otro sonido más que el murmullo del viento en los montantes y tal vez el golpeteo de la correa del casco azotando el borde de ataque del ala.

Me habían otorgado la categoría de primera clase (Licencia de Planeadores N.º 385 del Departamento de Comercio, si desea verificarlo), y me había acostumbrado a los planeadores convencionales que parecen aeronaves motorizadas a las que les hubieran quitado el motor, pues tenían cerrada la cabina.

En una ocasión me estremecí cuando una corriente ascendente de aire, que rugía como diez mil tigres, azotó una de las alas, levantó el morro del avión cuando yo estaba a punto de entrar en pérdida, y me hizo dar una vuelta completa a una

En la cabina de su planeador Franklin PS2: "Les dije a estos caballeros que les enseñaría a volar esta cosa y todos dijeron que sí", —LRH

altura de ciento treinta metros. Según bajaba podía ver directamente ante mí y contar cada brizna de hierba. El mundo entero dio un círculo completo como si yo estuviera mirando desde arriba directamente a un trompo zumbando que subía disparado hacia mí, abarcando decenas de metros a la vez. No pude hacer que los mandos se activaran hasta que estaba a como diez metros del suelo. Entonces enderecé el planeador gracias a un golpe de suerte con el cual todavía estoy en deuda, y volé en horizontal a alrededor de ciento cincuenta kilómetros por hora (un planeador en vuelo regular va a alrededor de treinta).

Fuera de un par de rasguños sin importancia, esto fue lo único que me sucedió en unos doscientos vuelos, algunos de ellos bastante largos, más de dos horas sin motor y sin remo, simplemente flotando por ahí en la brisa.

Y por eso yo me consideraba el tipo al que la fortuna siempre había querido favorecer, y pensaba que era quien podía salirse con la suya en casi cualquier cosa.

Como era joven e insensato, me tomé prestado un poco más de tiempo de la dama de la guadaña, y viajé a Michigan; a Puerto Huron, para ser exacto.

Dieciocho meses antes de mi llegada, algunos muchachos habían organizado allí un club de planeadores. Tenían una aeronave, pero habían cometido un error. Como casi cualquier piloto de aviones con motor tratará de decirle, creían que cualquiera podía volar en esas cometas en forma de caja y salir ileso. Pero después de dos intentos de despegar, les faltó coraje, metieron el cacharro en un pajar y decidieron que ellos eran valiosos para sus esposas y sus hijos.

Abajo
Certificación de la licencia estadounidense de piloto de planeadores N.º 385

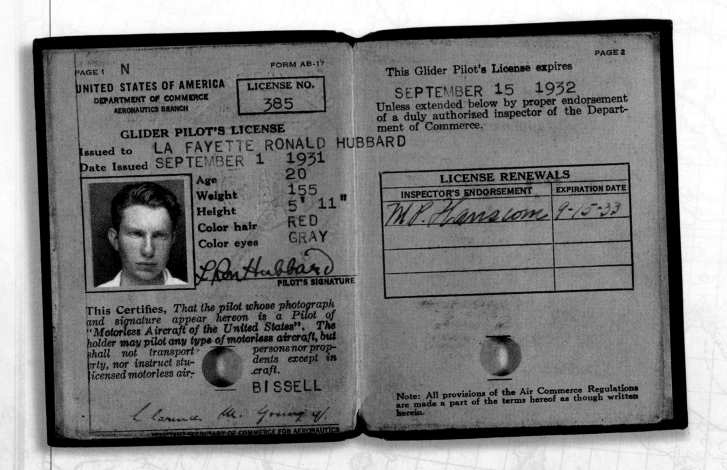

Y ahí se quedó el cacharro, todo cubierto de polvo y paja, con los alambres de cuerda de piano medio desgastados por el óxido y el barniz descascarándose sobre la muselina vieja.

Cualquiera con medio cerebro se habría dado cuenta de que eso era un kimono volador de madera. Pero yo creí, alabado sea Alá, que mi suerte nunca me abandonaría.

Les dije a estos muchachos que les enseñaría cómo pilotar esa cosa a tanto por vuelo y todos dijeron que les parecía bien, excepto que más me valía comprobar primero si esa cosa podía volar, ya que *nunca* había despegado del suelo.

Sin que se hubiera atenuado mi resolución, sacamos de inmediato a la marchita y machacada ruina de su cómoda y tibia paja y la ensamblamos.

No era la clase de aeronave a la que yo estaba acostumbrado. No era uno de estos planeadores elegantes que despreciaban la gravedad y que fluían a través de trozos del cielo sin estremecerse jamás. Este era lo que se conoce como un planeador primario. Nunca antes había yo volado uno. Era un vestigio de la moda que prendió en este país procedente de Alemania alrededor de

"A ciento treinta metros del suelo escuché el sonido de algo parecido a unos disparos de rifle de aire comprimido impactando en una campana. Al instante me incliné cuarenta y cinco grados. Los mandos se aflojaron y no respondían".

1927. Después descubrí que ninguna de estas aeronaves podía volar, y sin embargo la gente las compraba y decía: "Una cosa acerca de los vuelos sin motor es que no necesitas instrucción alguna". Ah, bueno, tal vez a algunos de estos tipos les gustaría criar malvas.

Se extendió el rumor por todo el lugar de que esa tarde un muchacho iba a hacer despegar ese cacharro y a planear por ahí, sin motor. Como eso era absolutamente imposible, todos los que salían a pasear en coche los domingos vinieron al campo como espectadores. Había allí unas quinientas personas, y como nunca me he caracterizado por mi modestia, conseguí a un muchacho que tenía un Ford Modelo A y le dije cómo remolcar planeadores.

Arrancó su automóvil, pero el planeador permaneció en tierra. El viento estaba soplando a unos cuarenta y cinco kilómetros por hora y al siguiente intento lo hizo a setenta kilómetros por hora a pesar del fuerte ruido de los muelles.

Estupendo, despegué en esa ocasión. Un vuelo recto, y a pesar de que los controles trabajaban lentamente, todo estuvo bien. En el siguiente vuelo me elevé a alrededor de setenta metros y de nuevo aterricé directo contra el viento. De acuerdo. Ahora quería ver lo que este cacharro podía hacer. Intentaría un giro completo en dirección al viento, a ciento veinte metros.

Pero debo explicar que este planeador primario no tenía cabina. Te sentabas en una tabla delgada y podías ver la tierra entre tus rodillas. Tenías los pies amarrados al timón, y el cinturón de seguridad te mantenía fijo a la estructura. Estabas expuesto al aire, totalmente desprotegido, con alambres que salían de ti en todas direcciones.

Tuve éxito en las siguientes vueltas y todo estuvo bien. El cacharro tenía una velocidad de vuelo, incluyendo la del viento además de la del coche, de aproximadamente ciento veinte kilómetros por hora..., exactamente el triple de rápido de lo debido.

Entonces llegó el último vuelo que realizaría esa tabla celeste de surf. Estiré la cuerda al máximo y la solté. La aeronave rebotó hacia arriba, libre y coceando como un caballo salvaje. Lancé el morro del planeador hacia

Arriba
Un planeador Franklin PS2 a remolque y con la esperanza de llegar al cielo

abajo y volvió a ascender. A ciento treinta metros del suelo escuché el sonido de algo parecido a unos disparos de rifle de aire comprimido impactando en una campana.

Al instante me incliné cuarenta y cinco grados. Los mandos se aflojaron y no respondían. Abajo, a ciento treinta fríos e inclementes metros, estaba la tierra: a casi cuatro quintas partes de la altura del monumento a Washington.

Y yo sin poder controlar en absoluto esta montura demente. Las alas se doblaron; los cables de control de vuelo, ya oxidados, no pudieron soportar la tensión de esa última sacudida. Sin alas, pero casi un ángel.

El morro, que sostenía todo mi peso, cayó de repente. La nave se convirtió en una bomba aérea y yo le serviría de metralla. Estaba a punto de explotar sobre varias hectáreas de pastura para ganado en Michigan. Iba a caer, atado como estaba, sin poder siquiera retirar los pies, y además el planeador serviría como mazo para clavarme en la tierra. ¡Uf!

Al aumentar la velocidad, el planeador y yo empezamos a silbar. La tierra aún estaba muy, muy lejos. Me impacienté. Aquí estaba yo cayendo hacia la tierra, acelerando de acuerdo a la ley de Newton, a 9.8 metros por segundo, y no iba a ninguna parte más que en línea recta hacia abajo.

El mundo se inclinaba y se balanceaba como el guante de un jugador de béisbol tratando de atrapar la pelota, que era yo. Rostros blancos se volvían hacia mí y podía ver el interior mismo de sus gargantas. Pero no iba a estrellarme contra ellos. No, me dije, eso sería admirable. Caería acertadamente y con mucha fuerza en el único punto allá abajo que no se estaba moviendo: el centro de dos carriles de automóviles.

Para entonces, no podía respirar bien porque caía a gran velocidad. Eso me preocupó bastante, como si realmente tuviera importancia.

¡Qué lejos estaba el suelo!

Con cautela toqué los inútiles mandos. Los timones de profundidad todavía funcionaban y me entretuve meneándolos. Si lograba la velocidad suficiente, tal vez podría sacar al aparato de eso una fracción de segundo antes de estrellarme. Después de todo, tal vez podría librarme de romperme el pescuezo.

Sentado (o más bien en posición horizontal, al ver que me dirigía directamente hacia abajo) volví a intentarlo. Realmente pude poner el aparato en posición horizontal en el último instante. ¡Magnífico!

Y el suelo todavía seguía subiendo, subiendo, subiendo y podría haber clasificado cada flor silvestre que tenía debajo, tal era la nitidez con que las veía. Flores silvestres, cuando estaba a punto de estrellarme a casi el triple de velocidad que un tren rápido y aerodinámico.

De pronto me di cuenta de que era inútil. Había demasiada gente mirando directamente hacia arriba. Dos niños de unos diez años querían tener una mejor vista de esto desde abajo. Antes de que pudiera gritar (todo estaba tan silencioso que podía escuchar los gritos ahogados) estos dos muchachitos estaban justo donde yo caería *si* nivelara el planeador en el último instante. El gran peso del avión los aplastaría por completo.

Por Dios, no. Tenía que dejarlo estrellarse y que lo hiciera con toda fuerza y ese sería el fin del piloto de vuelo sin motor N.º 385.

Escuché a alguien gritar sorprendido: "¡Eeepa!".

Abajo
Registro de Ronald sobre los vuelos con planeadores, incluyendo la entrada del 8 de septiembre en la que se basa este artículo

Era yo. Eso era todo lo que tenía que decir respecto a morir.

Los últimos tres metros llegaron y se fueron, y entonces me rodeó un sonido como el de una bolsa de papel siendo aplastada y por todo el campo cayeron trozos del planeador.

¿Inconsciente? No, me enteré de todo en una dolorida sorpresa. Tenía ambas caderas dislocadas y no podía moverme. Mis brazos, ¡por Dios!, debían haber desaparecido o estar aplastados. Tampoco podía moverlos. Ni siquiera podía levantar la cabeza y todo estaba volviéndose más y más negro.

Me estoy desangrando, me dije desesperanzado. Qué horrible forma de morir: desangrado.

Finalmente se reunió la gente y la escuché gritar tonterías alrededor de las astillas, pero yo no podía responder a sus gritos.

Después oí el sonido de algo que se cortaba, chas, chas, chas. Unas manos me agarraron y alguien me colocó fuera en el suelo y sentí que las articulaciones de mi cadera volvían a su posición normal con un chasquido. Y luego otra persona me introdujo algo entre los dientes y me sofocó con algo ardiente.

Me incorporé y cuentan que dije: "Bueno, aterricé".

Supongo que fue pura suerte que lograra hacerlo todo y salir entero de esa manera. Un par de costillas rotas, una rótula partida, pero aparte de eso, tan bien y tan entusiasta que al día siguiente salí a hacer acrobacias y volé constantemente durante las siguientes seis semanas, así que no pudo haber sido tan grave.

Pero el misterio de por qué no me maté nunca se resolverá. A menos que haya sido por el alambre de piano. Pues había metros de este material extendiéndose desde mí en todas direcciones, y cuando me estrellé, los cables se rompieron al otro extremo y, al retroceder, me envolvieron dando vueltas, vueltas y vueltas como notas que atravesaran una trompeta, hasta que no pude moverme, respirar ni ver. Sentí los efectos de esos latigazos y no quiero que me azoten jamás. Nunca jamás.

Tal vez me salvé porque dije: "¡Eeepa!". No lo sé. *Ronald*

Derecha
Un piloto que voló como los hombres deberían volar: "de modo precario y por instinto"

Fotografía de L. Ronald Hubbard

CAPÍTULO TRES

Una Palabra Introductoria sobre a
"ESCALOFRÍOS POR VIENTO DE COLA"

Una Palabra Introductoria sobre

"Escalofríos por el Viento de Cola"

"UN PAR DE COSTILLAS ROTAS, UNA RÓTULA PARTIDA, PERO aparte de eso, tan bien y tan entusiasta que al día siguiente salí a hacer acrobacias...".

De hecho, el viaje en el que L. Ronald Hubbard realizó vuelos acrobáticos había sido precisamente una aventura así de espontánea. Un compañero aviador,

Phillip Browning, acababa de adquirir su avión con motor LeBlond. Era un Arrow Sport con fuselaje negro y alas color naranja. Ronald acababa de realizar un vuelo con motor de treinta minutos sobre Michigan y, el 9 de septiembre de 1931, "con el viento como única brújula", partió con Phillip Browning hacia un destino por determinar. A esto, y a lo que el mismo Ronald nos proporcionará en su artículo, "Escalofríos por el Viento de Cola", añadimos lo siguiente:

Fue el caballero aéreo de la Primera Guerra Mundial quien fomentó la manía por las acrobacias aéreas, y bastantes pilotos aseguraban haber prestado servicio en la Escuadrilla Lafayette o en el Escuadrón Aéreo de Aviones de Caza N.º 94 de Eddie Rickenbacker. En fin, los aviones militares y de observación que quedaron de la guerra eran baratos, y muchos pilotos que de no hacerlo habrían estado sin empleo, se lanzaron a los cielos para asombrar a la gente de las poblaciones rurales con acrobacias

asombrosas (y, lo que era más lucrativo, la oferta de vuelos cortos por una mínima suma). Aunque esto ya no era una novedad, la aventura de Ronald y Phillip en el Arrow Sport causó el mismo tipo de asombro. Sin embargo la excursión en el Arrow Sport tuvo otra faceta, que fue importante. En lo que representa un artículo complementario con el título de "¿Le Gustaría Sentarse?", que también se publicó por primera vez en la revista *The Sportsman Pilot,* Ronald informa sobre el estado de varias pistas de aterrizaje privadas. Si su tratamiento del tema es jocoso, el asunto no lo era:

"Escoge al azar cualquier pista de aterrizaje en el campo y escoge cualquier aeropuerto que no sea muy conocido. Leerás que proporciona servicio las veinticuatro horas, que cuenta con mecánicos, instalaciones para cargar combustible, espacio para almacenamiento e información meteorológica. Si eres hábil para restar, lleva a cabo la siguiente operación: quita el servicio nocturno,

"¡Y se atreven a decir que el espíritu poético ha muerto!" —LRH

Derecha
Aeropuerto de
San Diego y otra
visión atractiva
de la aventura
cuando el
volar era joven;
fotografía de
L. Ronald
Hubbard, 1934

deduce la información meteorológica, olvídate del combustible y atribuye el almacenamiento a un error tipográfico. Después, si también restas el servicio diurno, tendrás una imagen bastante exacta del enésimo aeropuerto ubicado en un pueblo aislado cualquiera". Lo que quería enfatizar era que los riesgos del vuelo eran lo suficientemente serios sin incluir una fangosa parcela de cultivo entre cables de alta tensión y llamarla pista de aterrizaje. Como respuesta a eso tenemos el informe que

L. Ronald Hubbard presentó al Departamento de Comercio de Estados Unidos y, a su vez, la clausura de aquellas pistas consideradas como las más inseguras. Sin embargo, sus experiencias a lo largo de esas pistas, lo que experimentó al "sentir un mando bajo los dedos, sentir la nave sacudirse un poco, ver que el paisaje se deslizaba muy abajo; aterrizar en maizales perdidos bajo soles extraños"... esto es el contenido de "Escalofríos por Viento en Cola". ■

ESCALOFRÍOS POR VIENTOS DE COLA

por L. RONALD HUBBARD

EL AGOSTO PASADO, MI amigo Phil Browning (o bien, "Flip") y yo nos dimos cuenta de que disponíamos de tres semanas libres antes de regresar a la rutina universitaria. Nuestros recursos eran un biplano Arrow Sport (motor LeBlond de sesenta caballos y cabina para dos), dos cepillos de dientes y cuatro pies inquietos. Habíamos llevado a cabo la vieja hazaña de traquetear por el país en un Ford Modelo T en busca de aventuras, y después de unas cuantas horas de reflexión profunda, decidimos que teníamos una idea nueva para una antigua trama. Envolvimos cuidadosamente nuestro "equipaje", nos deshicimos del extintor para ahorrar medio caballo de fuerza, pusimos un parche en un agujero del ala superior, y nos lanzamos a sobrevolar cuatro o cinco estados con el viento como nuestra única brújula. No teníamos ni la menor idea de lo que íbamos a encontrar, pero sabíamos que nuestro avión "Modelo T" nos sacaría de todo aquello en que nos metiéramos, y con eso nos dábamos por satisfechos.

Lo más importante para nosotros era apartarnos de la gente, pero no habíamos contado con la amable curiosidad del Medio Oeste. Nuestro primer aterrizaje en el sur de Michigan nos aseguró que pertenecíamos a la sección de curiosidades. Habíamos localizado una hermosa pradera verde, y como el LeBlond había empezado a machacarnos los oídos con demasiada persistencia, aterrizamos para relajarnos un poco y disfrutar de algo de calma. No obtuvimos ninguna de las dos cosas. Casi antes de que nuestro tren de aterrizaje tocara la hierba, nos encontramos rodeados de una ansiosa multitud que quería saber si aún estábamos con vida. A esto siguió una hora de continuas advertencias sobre la hélice, y una hora de esfuerzos por evitar que se subieran extraños al estribo.

De donde veníamos la aviación se había convertido en algo común y corriente, y por eso nos era difícil comprender toda esta curiosidad, esta abundancia de preguntas. Flip se agotó de estar explicando todas las funciones de cada parte del avión, y al final, en defensa propia, despegamos y continuamos nuestro viaje, resignados ante la verdad de que, después de todo, algunas personas seguían considerando la aviación como un mero espectáculo.

Izquierda En las palabras de un niño en una granja de Ohio: "Así los llamamos, *¡Temerarios!*"

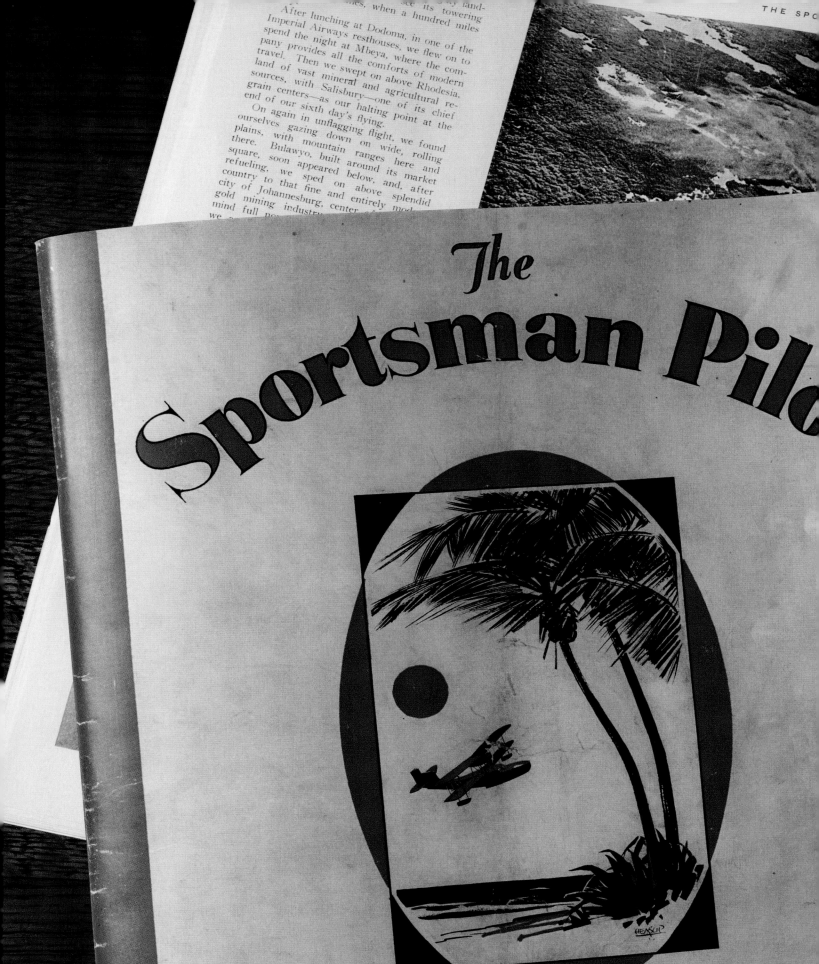

After lunching at Dodoma, in one of the Imperial Airways resthouses, we flew on to spend the night at Mbeya, where the company provides all the comforts of modern travel. Then we swept on above Rhodesia, land of vast mineral and agricultural resources, with Salisbury—one of its chief grain centers—as our halting point at the end of our sixth day's flying.

On again in unflagging flight, we found ourselves gazing down on wide, rolling plains, with mountain ranges here and there. Bulawyo, built around its market square, soon appeared below, and, after refueling, we sped on above splendid country to that fine and entirely modern city of Johannesburg, center of the great gold mining industry.

The Sportsman Pilot

JANUARY, 1932

Tailwind Willies

L. Ron Hubbard

In which the author avows that a pony Pegasus is still a curiosity and hinterland hospitality has survived the Farm Board

LAST August, my friend Phil Browning (otherwise "Flip") and I found that we had three weeks' excess time on our hands before we had to get back to the college grind. Our resources were one Arrow Sport biplane (companion cockpit, sixty-horse LeBlond), two toothbrushes and four itchy feet. We had accomplished the old stunt of rattling around the country in a Model T in search of adventure, and after a few hours' cogitation, decided that we had a new idea on an old plot. We carefully wrapped our "baggage," threw a fire extinguisher out to save half a horsepower, patched a hole in the upper wing, and started off to skim over four or five States with the wind as our only compass.

We had no idea of what we would encounter, but we knew that our "Model" plane would get us out of whatever we got into, and there we rested content.

Our primary thought had been to get away from people, but we reckoned without the worldly curiosity of the Middle West. Our very first landing in the southern part of Michigan assured us that we belonged in the curio section. We had spotted a likely meadow, and as the LeBlond began to drum too incessantly upon us, we landed to obtain some relaxation, a quantity of quiet. We rated almost before our gear touched that we were surrounded by an anxious throng which wanted to know whether we were still alive. There ensued a continuous caution concerning an hour's effort to keep alien feet off the catwalk.

Had this become commonplace to us, we found it hard to understand. In this curiosity, this abundance of curiosity, Flip tired himself out explaining the functions of the parts, and in defense, we cranked up and away. Flip, resigned to the truth that aviation was still a sideshow ...

For three weeks, all the rest we had was upstairs in the little ship. Our time on terra firma was spent in guarding our ship against thoughtless damage. We never really flew, and ... we had to "make ourselves

right at home." Hospitality was proffered in all its forms, and if anyone thinks that this modern machine age has deadened our American kindliness and good fellowship, just let them take a backyard tour of the Middle West. We spent only one night in a hotel, and that because we landed in a thunderstorm after dark. The food offered would have done credit to the Waldorf.

Flip and Ron (left) solemnly set to seek rest upstairs in the office of the "Sparrow"

AT the beginning of the trip we were a little skeptical of our ship's abilities, but when, time after time, she pulled us out of small, muddy fields, we rested assured that the orange wings and wide-spanned wheels were capable of anything. Her faculty for groundlooping at sixty miles an hour saved us from caressing many a fence. Though she climbed slowly when once in the air, she lost very little time whenever we zoomed her out of cornfields to miss trees.

At Newport, Indiana, we landed to take on gas, but the second our wheels touched the grass, we sunk a foot and stopped without rolling twenty feet. We fully expected to nose over, but the *Sparrow* set her teeth and put her tail right down. We took on the gas—only five gallons, to save weight—and then used up half the fuel attempting to get off. Although the field was a mile long, we spanked grass the entire length without rising an inch. The prop almost completed the harvest by chopping at the tall growth and making the sound of a machinegun quartet.

At last we gave up. I crawled out to let Flip take a whirl at it alone. By using up half the field, he managed to wish the muddy *Sparrow* into her element, and after

building some altitude, wheeled over the place where I stood and called down that there was another field a short distance away. After pacifying a sheriff, who was about to lock me up for trespassing, by shoving him into a mud puddle, I hopped onto the running board of a Purdue boy's car and burned road over to Flip's new landing place—if you could call it that.

The second field was little better than the first, and three attempts were necessary before we willed the *Sparrow* up just in time to see a nine-foot telephone wire at the height of our prop. Flip threw the nose down and the wires were a scant foot above my head.

We had intended to leave this section of the country for keeps; but a thunderstorm was all around us, we were almost out of gas, the mags weren't functioning right, and it was almost dark, so we hit dirt again five miles away to stop dead in the middle of a wet plowed field.

After that performance we left southern Indiana for more stout-souled fliers, and picked up the thread of adventure in Kentland, where a county fair was progressing nicely without our help. We tried to buy all the watermelons in Indiana by confining our menu to that fruit for dinner, breakfast and lunch. Some of the grifters showed us around, and that night after the midway darkened we were involved in a minor auto wreck. While the car was being repaired in a garage, Flip and I tried our best to "borrow" the siren of the V. F. D. engine which was in the same garage ...

Durante las dos semanas siguientes el único descanso que tuvimos fue arriba, en la pequeña "oficina," que era el asiento del copiloto. La mayor parte de nuestro tiempo en tierra firme lo pasábamos protegiendo nuestro precioso *Sparrow* de daños por descuido, explicando la razón por la cual los aviones realmente volaban y rechazando la hospitalidad. Esta se nos expresó en todas sus formas, y si alguien piensa que esta era moderna de máquinas ha atenuado nuestra amabilidad y fraternidad americanas, simplemente pídele que haga un recorrido por los patios traseros del Medio Oeste. Sólo pasamos una noche en un hotel, y fue únicamente porque aterrizamos de noche en medio de una tormenta eléctrica. La comida que nos ofrecieron habría enorgullecido al Waldorf-Astoria.

Al principio del viaje éramos un tanto escépticos respecto a la capacidad de nuestra nave, pero cuando una y otra vez nos sacó de pequeños lodazales, nos sentimos seguros de que sus alas color naranja y sus ruedas bien separadas eran capaces de todo. Sus facultades para esquivar obstáculos en el terreno a cien kilómetros por hora nos ahorraron las caricias de muchas cercas. Aunque ascendía con lentitud, una vez en el aire, reaccionaba rápidamente cuando lo lanzábamos a toda velocidad fuera de los maizales para eludir los árboles.

En Newport, Indiana, aterrizamos para repostar, pero en el instante en que nuestras ruedas tocaron la hierba, nos hundimos unos treinta centímetros y nos detuvimos sin haber rodado siquiera siete metros. Pensamos que con toda seguridad capotaríamos, pero el *Sparrow* apretó los dientes y bajó la cola. Cargamos combustible (sólo veinte litros para ahorrar peso) y después quemamos la mitad del combustible tratando de despegar. Aunque el campo era de más de un kilómetro y medio de largo, azotamos la hierba por toda la pista sin elevarnos ni un centímetro. La hélice casi terminó la siega al cortar todas las plantas altas con un ruido como el de un cuarteto de ametralladoras.

Al final nos dimos por vencidos. Salí como pude del avión para que Flip lo intentara solo. Empleando la mitad de la pista, se las arregló para llevar al *Sparrow* lleno de lodo a su elemento, y después de alcanzar cierta altitud giró sobre donde yo estaba para decirme que había otro campo a poca distancia. Después de apaciguar a un sheriff (que estaba a punto de encerrarme por estar ahí sin permiso) empujándolo a un charco fangoso, salté al estribo del automóvil en marcha de un muchacho de la Universidad de Purdue y salí a toda velocidad rumbo al nuevo campo de aterrizaje de Flip, si es que así se le podía llamar.

El segundo campo era un poco mejor que el primero, y se necesitaron tres intentos para levantar al *Sparrow* justo a tiempo para ver un cable telefónico de unos tres metros de largo a la altura de nuestra hélice. Flip hizo descender el morro y los cables me pasaron a unos treinta centímetros de la cabeza.

Teníamos la intención de salir de esta sección del país para siempre; pero nos rodeaba una tormenta, casi no teníamos combustible, los magnetos no funcionaban bien y era casi de noche. Así que volvimos a tomar tierra a ocho kilómetros de distancia para detenernos justo en medio de un campo arado y empapado.

Después de esta actuación, dejamos el sur de Indiana para aviadores de espíritu más firme, y reanudamos el hilo de la aventura en Kendland, donde a una feria del condado le estaba yendo muy bien sin nuestra ayuda. Tratamos de comprar todas las sandías de Indiana, limitando nuestro menú a esa fruta en la cena, el desayuno y la comida. Algunos de los timadores nos llevaron a conocer la zona, y esa noche cuando las atracciones de la feria ya habían cerrado sufrimos un accidente automovilístico de poca importancia. Mientras reparaban el automóvil en un taller, Flip y yo hicimos todo lo que pudimos para "tomar prestada" la sirena del camión de bomberos

"No teníamos ni la menor idea de lo que íbamos a encontrar, pero sabíamos que nuestro avión 'Modelo T' nos sacaría de todo aquello en que nos metiéramos…"

Izquierda
College Park Airfield: hogar de los Barnstormers de Washington; fotografía de L. Ronald Hubbard

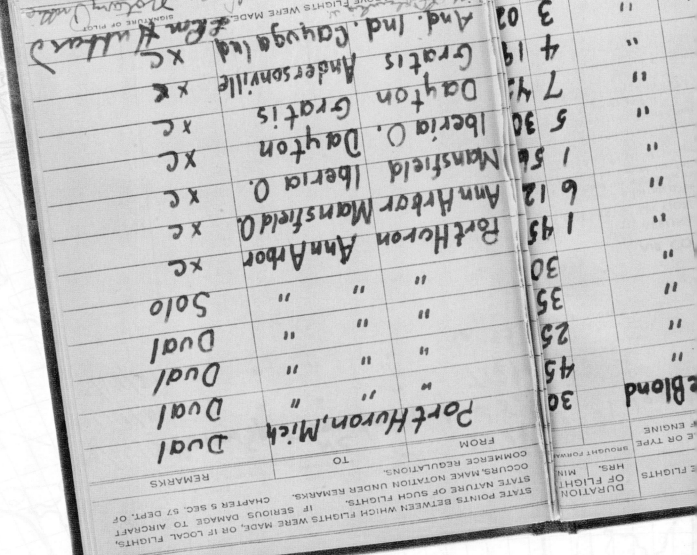

Arriba a la izquierda
Ruta del Arrow Sport

Abajo a la izquierda
Bitácora de piloto de Ronald, en la que registró su aventura de vuelos acrobáticos en tres estados, y también su primer vuelo solo oficial el 30 de agosto de 1931

que estaba en el mismo garaje. Sin embargo, no lo logramos y las siguientes poblaciones que visitamos se libraron del terror causado por los chillidos procedentes del cielo azul. En Ohio se nos cayó una varilla del motor en un campo sólido, si bien pequeño, pero tuvimos la suerte de encontrar cerca una tienda de maquinaria, en el pueblo de New London. Pasamos la noche como huéspedes de un caballero granjero, hijo de un conocido profesor, cuya casa estaba agradablemente abarrotada de todo tipo de objetos chinos. Esa mañana fue la única ocasión en ese viaje en que intentamos navegar, y los resultados fueron maravillosos. Cuando nos vimos obligados a aterrizar cerca de New London, descubrimos que solo nos habíamos desviado cuarenta y tres kilómetros en un recorrido de ochenta. Casi todos los pilotos han oído hablar de que a las vacas les gusta comerse el barniz de las alas y hasta la tela. Flip y yo habíamos relegado esa afirmación como otro de los cuentos chinos sobre la aviación. En Andersonville (no recuerdo en qué estado), adonde habíamos volado en busca de cerveza, que no encontramos y que de todas maneras no habríamos querido tomar, al aterrizar nos mantuvimos en el aire demasiado y cuando tocamos tierra viramos demasiado rápido para evitar una cerca. Y estalló un neumático. Mientras lo inflábamos, el otro se

Ronald fue un renombrado fotógrafo aéreo, y se sabe que sacaba
fotografías desde el ala de un avión durante el vuelo

desinfló. Después el primero se negó a permanecer inflado, y se nos hizo de noche mientras estábamos aislados en un prado para vacas. Un granjero soltó varias vacas, y aunque nunca antes habían visto un avión, se acercaron a toda velocidad y empezaron a lamer la tela, extasiadas. Durante unos minutos tratamos de alejarlas, hasta que vino el desconcertado granjero y se las llevó. Después de esto, vamos a dejar de bromear en los hangares sobre la salivación de las vacas.

> *"Habíamos estado tanto tiempo allá arriba, en esa imponente grandeza, que casi habíamos dejado de pertenecer a la Tierra".*

Derecha
Los Hell Raisers of the Skies (Traviesos de los Cielos): Ronald "Flash" Hubbard y Philip "Flip" Browning, Washington, D.C., 1931

Fuimos testigos de una escena que permanecerá en mi memoria por mucho, mucho tiempo. Era tarde y el sol estaba a punto de desaparecer. Estábamos completamente rodeados de nubes en el horizonte, su parte superior era tan plana que formaba una cortina circular negra y continua que, aunque estaba a kilómetros de distancia, parecía mirarnos ceñuda mientras las nubes se nos acercaban gradualmente. Volábamos a una altura de mil metros, y aunque avanzábamos a ciento cuarenta y cinco kilómetros por hora, parecía que nos habíamos detenido junto con el resto de un mundo misterioso. Allá abajo, las largas sombras de los árboles y las casas, diminutos sobre un terreno ondulante, se alargaban sobre la tierra. Sobre las nubes, surgiendo de una línea definida con nitidez, el cielo era de un azul magnífico, salpicado aquí y allá de tenues estrellas doradas. Avanzamos rugiendo durante una hora, con el LeBlond aparentemente diminuto en medio de esa gran extensión. Finalmente, miré hacia atrás, y sobre la cortina negra, se elevaban tres nubes rojas como el fuego que parecían llamear. Le di un codazo a Flip. Miró hacia atrás en dirección a las nubes y de inmediato empezó a buscar una pista de aterrizaje. Era demasiado, y punto. Habíamos estado tanto tiempo allá arriba, en esa imponente grandeza, que casi habíamos dejado de pertenecer a la Tierra. Volamos en círculo una y otra vez sobre un enorme campo de rastrojos tratando de regresar al suelo. Finalmente recuperamos nuestro sentido de la dimensión y aterrizamos con el *Sparrow*. En fin: con todos nuestros contratiempos, demostramos tres o cuatro cosas (siempre hay que demostrar algo mediante un vuelo): los aviones ligeros son prácticos para vuelos en que no hay pistas de aterrizaje pavimentadas; un piloto no necesita seguir las rutas aéreas y vaciar el bolsillo pagando las cuotas de los hangares, puede arreglárselas bastante bien intentando esta hazaña en patios traseros; y una excursión en avión no es ni la mitad de peligrosa de lo que suponen los escépticos, y es el doble de divertido que hacerlo de cualquier otro modo.

Los pilotos deportivos no necesitan limitar sus vuelos a su propio vecindario. Cuantos más viajes es se realicen por Estados Unidos, más rápidamente llegará la aviación al corazón de la gente en las zonas apartadas. ¡Y se atreven a decir que el espíritu poético ha muerto! *Ronald*

"Flash" Hubbard

ON EL ATERRIZAJE DEL ARROW SPORT EN EL OTOÑO DE 1931, RONALD REGRESÓ PRINCIPALMENTE a los aviones sin motor, a aquel Franklin PS2 en el aeropuerto del Congreso y también a novedosos planeadores secundarios en campos de Detroit. Además volvió a informar sobre la navegación aérea de una manera que también lo pondría a la vanguardia. Por ejemplo, entre otros artículos de LRH que aparecieron en *The Sportsman Pilot (El Piloto Deportivo)*, hubo uno acerca de la navegación experimental por radio, adecuadamente titulado "Música con Tu Navegación" y que predecía su propia incursión audaz en este campo, con su Expedición Experimental de Radio a Alaska en 1940. También estaba destinado a esa publicación el examen del Ryan ST que llevó a cabo en 1934; estaba construido totalmente en aluminio, y era un invento del legendario Claude T. Ryan, quien vivirá por siempre en las crónicas de la aviación por su diseño del *Spirit of Saint Louis* de Lindbergh. Finalmente, está el trabajo genuinamente decisivo de Ronald en el Congreso de Estados Unidos cuyo objetivo era formar una Fuerza Aérea de Estados Unidos independiente (a diferencia del Cuerpo Aéreo que depende del Ejército), y todas las demás aventuras incidentales que se mencionan aquí. El siguiente artículo del columnista de aviación H. Latane Lewis II, que apareció en la revista *The Pilot*, en julio de 1934, proporciona un penetrante atisbo de Ronald "Flash" Hubbard tal como lo veía el mundo de la aviación.

Siempre que se reúnan dos o tres pilotos en la capital de la nación, ya sea para una audiencia del Congreso o simplemente en la parte trasera de algún hangar, lo más probable es que usted escuche mencionar el nombre de Ronald Hubbard acompañado de adjetivos tales como "alocado", "descabellado" y "extremo". Pues el piloto de cabello llameante pasó por la ciudad como un tornado hace pocos años y con sus travesuras aéreas hizo gritar a las mujeres y llorar a los hombres recios. Casi le pedía a la tierra que ascendiera y lo golpeara.

Al principio, Ronald (también conocido como "Flash") venía del oeste, pero sólo permaneció ahí lo suficiente como para nacer. Desde entonces ha sido habitante del mundo entero, y hay pocos rincones y recovecos en la Tierra en los que no se haya metido. Antes de caer en desgracia y convertirse en aviador,

fue, en momentos diversos, sargento primero de la Infantería de Marina, cantante melódico radiofónico, reportero de prensa, buscador de oro en las Antillas, explorador y director de películas, pues dirigió una expedición cinematográfica a los mares del sur a bordo de un antiguo buque de vela.

Después se dedicó al vuelo en planeadores. Y eso fue lo más emocionante para Washington, ya que Ronald podía hacer más acrobacias en un planeador de las que podían hacer la mayoría de los pilotos en un avión de caza. Salía de barrenas a una altitud de un metro y se burlaba de los empresarios de pompas fúnebres que solían venir al campo y soltar risitas.

En una ocasión llevó un planeador a un aeropuerto en Chicago que estaba rodeado por una calle de hormigón. Era un día caluroso y las ondas de calor se levantaban de la calle como

Caballeros aeronáuticos del club de aviadores de la universidad de George Washington (L. Ronald Hubbard en el extremo izquierdo), 1931

si fuera una estufa. Ronald se colocó sobre esa corriente de aire y ahí permaneció. Daba vueltas y vueltas al aeropuerto como un carrusel hasta que todos terminaron mareados de verlo. Finalmente se cansó de dar vueltas y bajó, después de establecer una especie de récord por mantener el vuelo sobre el mismo campo.

Luego, un día se hartó de los planeadores y decidió intentar algo con motor. Así que se subió a un avión veloz y, sin realizar antes ningún un vuelo con instructor, puso el motor a toda máquina y despegó. Bueno, regresó a tierra con el aparato todavía entero y, basándose en la teoría de que un buen aterrizaje es aquel del que puedes salir caminando, se dio cuenta de que ya era un piloto.

Entusiasmado por sus nuevas destrezas se inició de inmediato en la acrobacia aérea y engatusó a muchos confiados pasajeros. Voló por debajo de todo cable eléctrico del Medio Oeste y las vacas y caballos de esa zona todavía se asustan con el sonido del motor de un aeroplano.

Después de ser una de las personalidades más traviesas de la aviación, finalmente sentó cabeza con gran dignidad y llegó a ser director del club de vuelo de la Universidad George Washington.

En la actualidad, nuestro joven héroe anda sobrevolando a ras de tierra por la costa oeste, donde escribe relatos para revistas entre vuelos. Ahora se le reconoce como uno de los pilotos de planeadores más destacados del país. ■

Arriba a la derecha "El piloto de cabello llameante pasó por la ciudad como un tornado..." *Abajo* "Luego, un día se hartó de los planeadores y decidió intentar algo con motor", columnista de aviación H. Latane Lewis II

Who's Who

By H. LATANE LEWIS II

RON HUBBARD

Whenever two or three pilots are gathered together around the Nation's Capital, whether it be a Congressional hearing or just in the back of some hangar, you'll probably hear the name of Ron Hubbard mentioned, accompanied by such adjectives as "crazy," "wild," and "dizzy." For the flaming-haired pilot hit the city like a tornado a few years ago and made women scream and strong men weep by his aerial antics. He just dared the ground to come up and hit him.

In the beginning, Ron (also known as "Flash") hailed from out west, but only stayed long enough to be born. Since then he has been a dweller of the world at large, and there are few nooks and corners of the earth that he hasn't poked into. Before he fell from grace and became an aviator, he was, at various times, top sergeant in the Marines, radio crooner, news-

RON HUBBARD

paper reporter, gold miner in the We Indies, and movie director having led a motion picture into the south seas aboard windjammer.

Then he turned to gli And that is what gave W its biggest thrill, for Ro more stunts in a sailplan pilots can in a pursuit jo come out of spins at a hirty inches and thumb e undertakers who use the field and titter. Once he took a glide o airport which w a concrete road. It waves of heat we as if it had been at up current o Round and r nt like a merr ody got dizzy nally, he got tired of chasing nd came down, after establish- ing of a record for sustained the same field

Then, one day he got fed up with gliders and decided to try something with power. So he climbed into a fast ship and, without any dual time at all, gave the engine the soup and hopped off. Well, he got back on the ground with the plane still all in one piece and, going on the theory that its a good landing if you can walk away from it, he realized that he was now a pilot.

Fired by his new prowess, he immediately started barnstorming and ensnared many an unsuspecting passenger. He flew under every telephone wire in the Middle West and cows and horses in that section still shy at the sound of an airplane motor.

After being one of aviation's most distinguished hell-raisers, he finally

When he had earned his half wing, he went out to the front with the 12th Aero Squadron and was in the thick of the fighting from June, 1918 until the Armistice.

Wright was a handsome, virtuous-looking lad in those days, and it is hard to believe that any Hun would have been hard-hearted enough to have shot at him if he could have seen his face. But at that time flyers dressed like deep sea divers, and there was no chance for an eye-to-eye encounter. Wright came home with the Distinguished Service Cross, the Croix de Guerre, and the Belgian Order of the Crown dangling from his chest.

The flight that won him the D.S.C. took place during the first two hours of the Argonne offensive. One of the

CAPÍTULO CUATRO

La Serie sobre "TRABAJOS INFERNALES"

La Serie sobre
"Trabajos Infernales"

LEJOS DE ESCRIBIR AVENTURAS POR EL HECHO DE ESCRIBIR aventuras, es posible que quienes estén familiarizados con las obras literarias de L. Ronald Hubbard reconozcan los sucesos que se narran aquí, como material de sus historias de los años 30 y principios de los 40. Por ejemplo, fue precisamente de su Expedición Cinematográfica al

Caribe que Ronald extrajo la atmósfera para su historia, *Asesinato en el Castillo Pirata,* y de ahí los guiones para la serie de Columbia Pictures que se basa en esa historia, *El Secreto de la Isla del Tesoro.* De manera similar, es posible que los que están familiarizados con la obra de Ronald de 1936: *Piloto de Pruebas,* que describe en todo detalle proezas aeronáuticas de suma precisión, hayan supuesto correctamente que la historia se había basado en las experiencias personales de Ronald en el mundo de la aviación. Finalmente, y aquí llegamos al punto clave, si no tenía la experiencia personal que le permitiera darle forma a una historia, salía inmediatamente a adquirir esa experiencia.

En eso se basó la serie de Ronald de 1936, "Trabajos Infernales", para la revista *Argosy* (ahora disponible en la *Serie Historias Clásicas de Ficción* de L. Ronald Hubbard). Habiendo conseguido una lista de "profesiones de alto riesgo", Ronald empezó a pilotar aviones experimentales, transportar troncos

Abajo
Historias tomadas de la serie de L. Ronald Hubbard "Trabajos Infernales", publicadas originalmente en *Argosy* entre 1936 y 1937

Izquierda Algunas de las profesiones más peligrosas del mundo y por lo tanto profesiones demasiado peligrosas para tener seguros contra accidentes

por los ríos de la zona norte de la costa del Pacífico de EE.UU., entrar en jaulas de animales salvajes y sumergirse en los llamados "Trabajos K", es decir, aquellos que se consideran demasiado peligrosos como para ser protegidos con una póliza de seguros.

Como él explica: *"Estos son tabús relacionados con accidentes. La clasificación, como usted sabe, comienza con la A, el riesgo más bajo de accidentes. Esto abarca oficinistas, escritores y profesiones similares. Después sigue la B, en un nivel un poco más alto y con más riesgo, y luego subes letra por letra hasta llegar a la E. La E es aproximadamente lo más alto que una compañía está dispuesta a asegurar. Las tarifas son muy altas. Todo lo que sigue se clasifica como póliza especial de seguros: F, G, H, I y J son los límites superiores. La J es bastante extrema, y en la mayoría de los casos conlleva un seguro que caduca y que se tiene que renovar a diario, con tarifas que llegan hasta el 50%.*

"Después viene la K. La K está completamente fuera de toda clasificación. Es algo prohibido. Las empresas clasifican a los K de tal manera que un K nunca entre en sus oficinas. No quieren ver a ninguno de nuestros K en absoluto. Casi tienen letreros en la puerta que les dicen que se larguen".

Aquí presentamos, en una carta dirigida a los lectores de *Argosy* (en la columna de "Argonotas"), la descripción que hizo Ronald de la serie "Trabajos Infernales", que se relaciona, de manera específica, con su artículo de diciembre de 1936: *El Dinamitero*. Tomada de sus experiencias en el interior y en los alrededores de los peligrosos campos petrolíferos de Texas, la historia trata sobre algunas de las aventuras sumamente estimulantes de un tal Mike McGraw: "dinamitero" de perforaciones petrolíferas, frustrador de los matones que arrebataban derechos mineros y operario de pozos de petróleo en general. Como nota explicativa adicional, la nitroglicerina es tan absolutamente impredecible como Ronald sugiere, mientras que el muelle marítimo desde el cual se zambulló de hecho se encontraba en el oscuro y helado Estrecho de Puget. ■

de L. Ronald Hubbard

Esta serie significará mi triunfo o bien mi ruina. Últimamente he venido siguiendo sus Argonotas, en las que algunos caballeros nos han estado tomando el pelo a unos pobres escritores como nosotros. Preveo mucho material para esa sección con estas historias sobre profesiones peligrosas a juzgar por la diversidad de opiniones que he recibido al recopilar el material. Por ejemplo, dos leñadores con quienes estuve hablando el mes pasado, casi llegaron a tener una pelea al determinar el nombre correcto del tipo que tiende los cables en los campamentos de leñadores. Uno afirmaba que se le llamaba "talador de altura", y el otro, "operario de altura". Supongo que eso sería según la zona.

La minería es otro campo cuyas variaciones marean a cualquiera. Todo depende de la región, de si se trata de minería de carbón o de metal, o de si eres minero o ingeniero de minas.

Los pozos de petróleo son lo más variable de todo. Cada sección del mundo tiene una nomenclatura y unos métodos diferentes. Yo escogí Texas porque estoy familiarizado con los métodos de ahí, pero apuesto a que algún operario petrolífero de California va a presentar enérgicas objeciones.

Así que preveo mucha diversión. A lo largo de todo este proyecto he sido consciente de lo que se trata, y por eso he verificado y reverificado la información contenida en las historias y creo que tengo una respuesta irrebatible para cada airada protesta posible.

Hay algo más que me ha divertido considerablemente. Los escritores que tratan el mismo tema una y otra vez en sus obras de ficción, gradualmente desarrollan una terminología y un patrón para ciertos tipos de narraciones, como ustedes bien lo saben. Esto crea una falsa creencia en los lectores de que se han familiarizado con cierto tema por haber leído tantas obras de ficción sobre ese tema. Me he tenido que deshacer de mucho de esto en pro de la exactitud y estoy muy, muy ansioso de que alguien me cuestione al respecto. Las historias acerca de pozos petroleros, por ejemplo, siempre parecen tener un villano, que en el colmo del odio deja caer una llave inglesa o algo así en un pozo para echarlo a perder. Dejar caer cosas en un pozo es algo común. En la perforación con cable, aparte del resto del trabajo, por lo general se incluyen en las estimaciones tantas horas o días para sacar lo que se ha caído. Las herramientas y las llaves inglesas se caen, las brocas se atoran, los cables se rompen, y los pozos no se abandonan nunca jamás a causa de eso, ni siquiera se considera algo grave en absoluto.

En la historia sobre el pozo petrolero, Mike McGraw masca un puro encendido mientras mezcla nitroglicerina. Dispara fulminantes con una honda para hacerlos explotar. En pocas palabras, está haciendo todo lo que un hombre no debería hacer, según la opinión popular. Ahí habrá fuegos artificiales. Muchos fuegos artificiales. Pero tengo las respuestas. La nitro, a menos que esté cerrada, quema lentamente cuando se enciende. Fumar mientras se prepara no es más peligroso que fumar en una gasolinera, y todo el mundo lo hace. En cuanto a los fulminantes, estos sólo explotan cuando se raspan con acero o cuando se les golpea con fuerza con un martillo. Casi me volví loco en Puerto Rico mientras inspeccionaba una mina de metal.

Pensé que el nativo a cargo de la dinamita era muy, muy descuidado. Un día, después de haber detonado un estrato de piedra a lo largo de un pasadizo, le dije lo que pensaba al respecto. Él fumaba mientras llevaba dinamita al 60%. Me quedé horrorizado cuando apagó la colilla de su puro en un cartucho de dinamita. Se quemó a la misma velocidad que unas astillas de tea. Él solía tirarles a los perros fulminantes de triple fuerza.

El proceso de recabar información es interesante cuando puedo lograr que estos caballeros me echen una mano. Un buzo de la marina es responsable de la información y de la autenticidad de la historia relacionada con ese tema. Después de todo, bajar al agua desde el extremo de un muelle no me dio una idea muy buena acerca de lo que se trataba eso. Nunca había tenido tanto miedo en toda mi vida. Hubo algo horroroso en ello. Y el casco es suficiente para ensordecerte y los puños estaban tan apretados que mis manos se pusieron azules.

¡Pero fue muy divertido!

Cuando estas historias empiecen a salir y cuando las cartas empiecen a llegar llamándome mentiroso de siete maneras diferentes (que es lo que harán), manténganse tranquilos, sonrían y envíenmelas. No existe una crítica razonable que yo no pueda contestar respecto a la información que he reunido.

O rendía homenaje a la falacia popular y evitaba toda descripción técnica, o la ignoraba, me aseguraba de estar en lo correcto y al diablo con los riesgos. Al optar por la segunda opción, he quedado expuesto a cartas excéntricas provenientes de personas con ideas firmes. Que así sea. *Ronald*

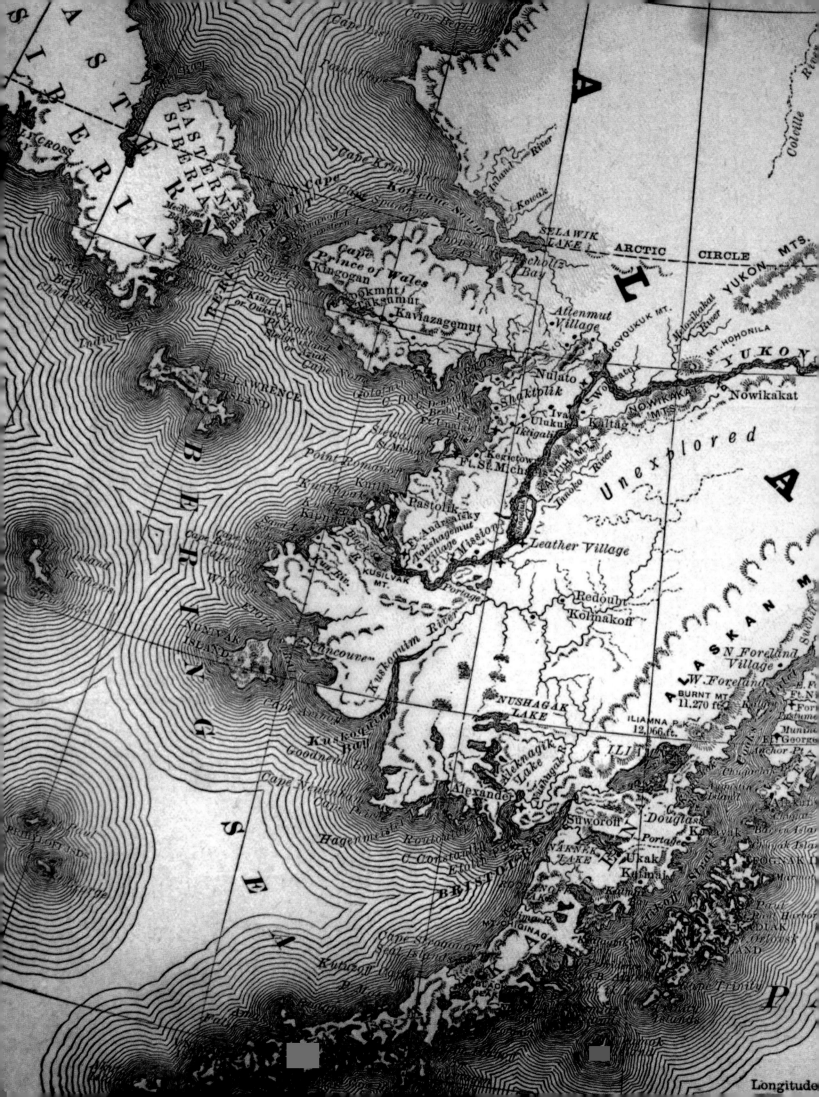

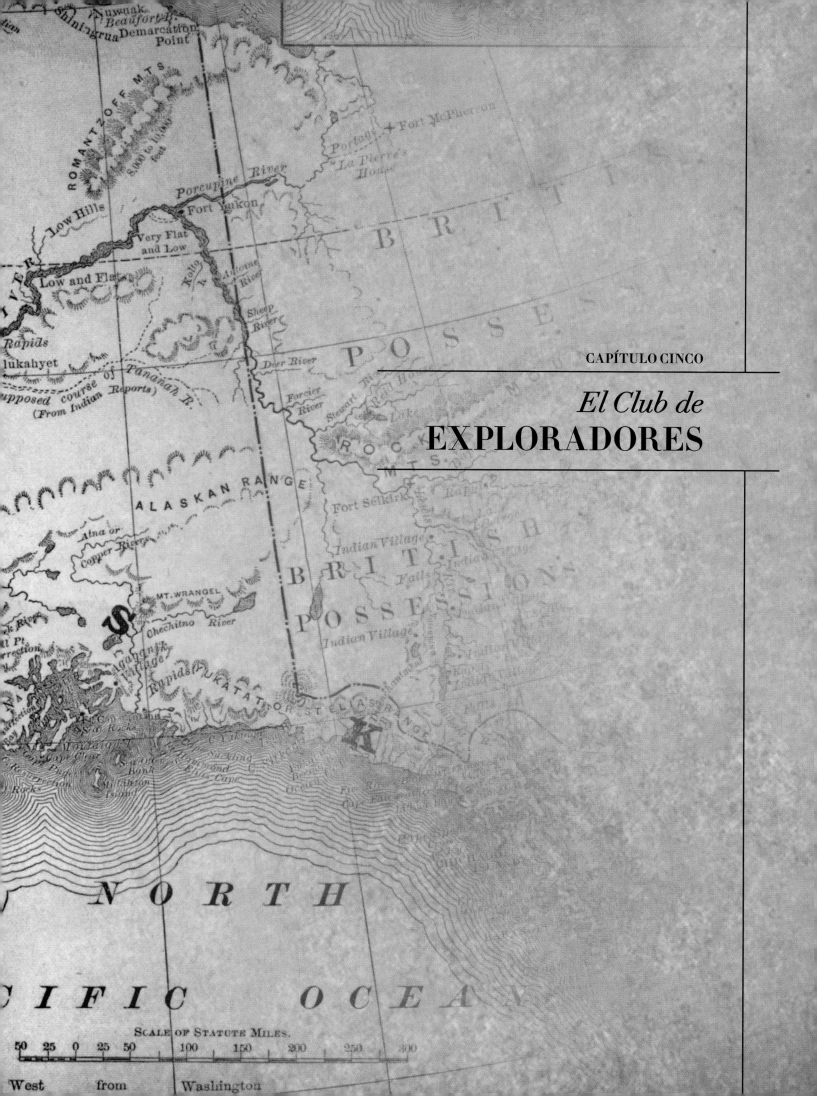

CAPÍTULO CINCO

El Club de
EXPLORADORES

El Club de
Exploradores

"ANOCHE ESTUVE EN EL CLUB DE EXPLORADORES", ESCRIBIRÍA
L. Ronald Hubbard, desde su residencia neoyorquina, el 13 de
diciembre de 1939. "Wilkins, Stefansson, Archbold y una lista
interminable de personas estaban ahí y me hicieron sentir como en casa". De hecho,
pronto sería honrado con la categoría de miembro con todos los derechos (efectiva

a partir de febrero de 1940) y, en esa forma tuvo una larga relación con aquellos que "tenían que ser grandes o caer ante lo desconocido". Pero primero permítasenos añadir unos cuantos detalles pertinentes:

Wilkins era, por supuesto, Sir George Hubert Wilkins, el primero en sobrevolar la Antártida y el segundo de mando de la Expedición Imperial Británica a la Antártida. Stefansson era naturalmente Vilhjalmur Stefansson, cuya fama se relaciona con el norte de Canadá y el círculo ártico, mientras que Archbold era Richard Archbold. explorador en Nueva Guinea. Entre otras calificaciones que se mencionaron al ser admitido (y los requisitos para ser un miembro plenamente reconocido del Club de Exploradores son, en verdad, estrictos) estaban las antes mencionadas adiciones de L. Ronald Hubbard a los manuales de cabotaje en las Antillas a partir de su Expedición Cinematográfica al Caribe, su dirección de la primera inspección mineralógica completa de Puerto Rico bajo Estados Unidos y la clausura de aproximadamente treinta pistas de aterrizaje peligrosas gracias a su

informe al Departamento de Comercio. Finalmente, comprendamos que el Club de Exploradores había sido fundado en 1904, en ese entonces estaba en la Calle 72 (en la actualidad se encuentra en la Calle 70) en la ciudad de Nueva York y evocaba precisamente lo que se esperaría del ámbito de las grandes exploraciones, lo que incluía osos polares disecados en los descansillos de las escaleras, pieles de leopardo extendidas frente al hogar y un par de colmillos de elefante para adornar la chimenea. El club también ostentaba (y todavía conserva) una asombrosa biblioteca de diarios y mapas de las expediciones de quienes dieron forma a esos mapas. Además, como la nota de Ronald implica, uno podía encontrar regularmente a personas como Wilkins y Stefansson intercambiando historias de aventuras polares (o sentados de vez en cuando en la sala de banquetes para cenar filetes cortados de la falda de un mamut que había estado congelado mucho tiempo).

Sin embargo, y regresando al tema, en particular en lo que respecta a la historia de Ronald, tenemos

Izquierda La dirección de Nueva York del mundialmente famoso Club de Exploradores, hogar de los grandes nombres de la exploración durante más de cien años

Arriba
El brazalete del Club de Exploradores del Capitán L. Ronald Hubbard, que mostraba que era miembro de esa liga de caballeros aventureros

Derecha
El atrevido Capitán L. Ronald Hubbard en su trayecto por el Pasaje Interno mientras conducía su legendaria expedición a Alaska en 1940

la famosa bandera del Club de Exploradores. Se otorgaba a los miembros activos que habían estado al mando de expediciones o que participaran en expediciones de auténtico interés científico; la bandera del Club de Exploradores representa una aprobación oficial para operaciones de exploración. Ha tenido una historia audaz, desde el descenso de Roy Chapman Andrews al desierto de Gobi hasta el ascenso de Edmund Hillary a la cima del Everest, desde las profundidades del océano hasta la superficie de la Luna. Además, ha habido hombres que han sufrido bajo ella, han muerto bajo ella y a aquellos a los que se les ha confiado, se les ha implorado con sinceridad que "siempre tengan presente que esta bandera la han usado en el pasado muchas personas famosas pertenecientes al Club de Exploradores, y que llevarla es un destacado honor".

L. Ronald Hubbard llevó la bandera por primera vez a bordo de un queche de 11 metros en su Expedición Experimental de Radio a Alaska en 1940. Como el título implica, el viaje requería poner a prueba un entonces nuevo instrumento de navegación de radio entre el Estrecho de Puget y la faja de Alaska y, de hecho, jugó un papel que no fue en absoluto insignificante en el desarrollo del sistema LORAN (*LO*ng *RA*nge *N*avigation [Navegación de Largo Alcance]). También relacionados con este viaje de tres mil kilómetros se encuentran el trazo de nuevas cartas marinas de un Pasaje Interno especialmente traicionero por encargo de la Oficina Hidrográfica de la Marina de Estados Unidos y su estudio etnológico de los indígenas aleutianos y haidas. Como comentarios adicionales sobre esto último, podría señalarse que

L. Ronald Hubbard fue uno de los primeros, después de Franz Boas, en examinar la herencia mitológica de las tribus indígenas de la costa norte y que se le conocía principalmente como etnólogo dentro de los círculos de exploradores. No tan bien conocidos pero sin embargo dignos de mención fueron los fines menos oficiales del viaje por encargo de la Marina de Estados Unidos. Específicamente, Ronald debía fotografiar todas las ensenadas y canales que podrían servir de escondite para los submarinos enemigos y, desde ahí, debía dirigirse hasta las islas Kuriles fotografiando barcos de guerra japoneses. A lo largo del trayecto, él no sólo detuvo a un espía enemigo, sino que también se enfrentó a vientos de 180 millas (unos 290 kilómetros) por hora y a los tempestuosos mares de las islas Aleutianas; lo que explica el mal estado de la Bandera 105, y también la ironía del artículo "Amerita Contarlo" que se presenta a continuación.

Originalmente apareció en las páginas de una antología del Club de Exploradores titulada *Contra Viento y Marea (Through Hell and High Water)*, y narra "la lucha" entre Ronald y un oso Kodiak. En vista de que la antología sólo presenta relatos de aventuras reales en el campo, el artículo de L. Ronald Hubbard, "Amerita Contarlo" motivó incontables discusiones. El tema principal se centraba en la posibilidad real de sobrevivir a un encuentro hostil con uno de los carnívoros más feroces de América. Al final, cansado de sólo escuchar sobre el "condenado pardito", Ronald presentó su propia versión auténtica. Se vuelve a imprimir como se publicó originalmente, incluyendo una introducción del editor de *Contra Viento y Marea*. ∎

Una Palabra Preliminar del Editor de
"Contra Viento y Marea"

Desearía que Bill Mann estuviera aquí hoy. Toda esa expansión de su zoológico en Washington lo ha mantenido estrechamente recluido, no lo estamos viendo mucho por aquí en Long Table.

Hay una pregunta que yo en concreto quería hacerle. Quería saber si sería posible para un hombre luchar con un oso Kodiak plenamente desarrollado y salir airoso. He escuchado que son bastante rudos y que se le ha aconsejado a la mayoría de la gente que se mantenga lejos de ellos. Aún así, hay un rumor constante por la ciudad según el cual nuestro capitán de pelo rojizo Ronald Hubbard va más allá y se involucra en contiendas con Kodiaks. Ha llegado a tal punto que hasta se están escribiendo baladas sobre sus proezas.

Bueno, el capitán Hubbard salió de aquí recientemente para una supuesta expedición científica. Se le permitió incluso llevar la bandera del club, lo que significa que su propósito era científico. Su goleta *Magician (Mago)* estaba bien equipada para llevar a cabo estudios muy necesarios de radio e investigación, pero no hemos oído nada sobre eso. Sólo escuchamos sobre osos.

¿Tienes algo que decir, Ronald?

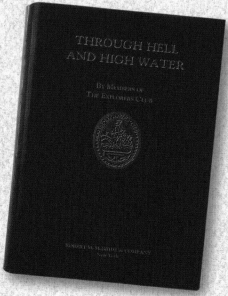

Derecha La edición de 1941 de *Contra Viento y Marea,* publicada por el Club de Exploradores y que presenta "Amerita Contarlo" de L. Ronald Hubbard

AMERITA CONTARLO

de L. RONALD HUBBARD

CABALLEROS, NI SIQUIERA AQUÍ estoy a salvo del continuo parloteo sobre los osos. Estoy llegando a tal situación que no puedo... bueno, casi hago ese horrible chiste con las palabras que me han estado persiguiendo.

Para empezar, toda la cosa es una gran mentira. No cortejé al oso y el oso no murió de añoranza. Más aún, no cultivé el hábito de ir por ahí metiéndome con los pobres e inocentes osos Kodiak. Esto empezó el día que llegué a Nueva York: levanté el teléfono para escuchar un susurro que decía: "Capitán, ¿le *gusta* pelear con los osos?". Y desde aquel día no he tenido paz. Cómo la historia llegó antes que yo, no lo sé. Personalmente intenté mantenerla en la oscuridad, bueno, ¡toda la cosa es una gran mentira!

Un hombre puede pasar incontables meses de trabajo duro y de privaciones heroicas cuando está revisando pilotos costeros; puede estrujar su cabeza hasta reducirla a la mitad de su tamaño entre los audífonos, calculando errores de radio; puede enfrentarse a una tormenta y a la muerte súbita en todas sus formas más horribles en un intento por aumentar el conocimiento del hombre, ¿y qué ocurre? ¿Es un héroe? ¿Le mira la gente con admiración cuando está agotado y cubierto de sal? ¿Le dan las universidades licenciaturas y los gobiernos comisiones? ¡NO! Todos lo miran con una risita y le preguntan si le gusta pelear con los osos. ¡Es un escándalo! ¡Es suficiente para hacer que un hombre asuma el papel de una muñeca de trapo! Gratitud, ¡bah! La atención y la mala fama se han centrado en un sólo accidente, una mentira exagerada, y ¡se han olvidado todos los gigantescos beneficios para la raza humana!

Caballeros, examinen los hechos. Un oso Kodiak, conocido en Alaska como el "pardito", es el carnívoro más grande del mundo. Es tan alto como dos de nosotros y pesa 700 feroces y activos kilos. El pasado otoño dos hombres fueron atacados en dos partes diferentes de Alaska por los parditos y sus heridas fueron tan graves que uno de ellos murió y el otro no volverá a caminar. ¡Y todavía insinúan que a un hombre cuerdo le gusta pelear con los osos Kodiak! ¡Vaya, un oso grizzly parece un osito de peluche en comparación con un Kodiak! No, todo esto es absurdo y debo pedir que se me deje en paz.

¿Dicen que los rumores todavía persisten e insisten en que debe de haber algo detrás de ello?

Bien, hubo un incidente como el que mencionan vagamente. ¡Pero les digo que no tuve nada que ver con eso!

La cosa empezó cuando el capitán de un barco pesquero se acercó a un barco de estudio topográfico, se acercó en un gran cúter y le preguntó a un oficial si quería pasar por un estrecho que por lo común es muy poco profundo y demasiado lleno de rocas como para permitir el paso de un buque grande.

El oficial, sin anticipar nada, subió contento a bordo del pequeño barco pesquero y se fueron. El barco era de cerca de 10 metros de longitud y debido a que sólo había unos cuantos kilos de pescado en la carga, estaba hasta cierto punto sujeto a un movimiento inestable aunque el día estuviera tranquilo.

El barco resolló por la costa empinada del canal serpenteante y el oficial admiró la escena considerablemente.

"Para empezar, toda la cosa es una gran mentira. No corteje al oso y el oso no murió de añoranza. Más aún, no cultivé el hábito de ir por ahí metiéndome con los pobres e inocentes osos Kodiak".

De todas formas, todo fue un poco aburrido, pero existe un exceso de escenarios naturales, incluso en Alaska.

Después de un rato la atención del oficial se vio atraída por un movimiento de algo, allá en el centro del amplio canal. Podía haber sido un tronco o una foca pero por lo menos era algo de interés. Conforme el barco pesquero se acercaba, la silueta de la cabeza comenzaba a hacerse más clara. Evidentemente era un oso negro pequeño, intentando tontamente abrirse paso contra una corriente de dos nudos y negándose obstinadamente a rendirse en la lucha.

El capitán se lamentó por el hecho de que no tenía un arma a bordo y el oficial maldijo la falta de previsión que hizo que llegara ahí sin una cámara.

"Yo estaba pensando que sería una pena el dejar que el oso se fuera", dijo el capitán.

"Correcto", dijo el oficial. "¿No hay alguna forma en que podamos atraparlo?".

"Quizás si regresáramos a conseguir un arma", sugirió el capitán.

"Está a kilómetros del barco, no estará ahí para cuando regresemos. Oye, ¡le tiraremos una cuerda sobre la cabeza y lo arrastraremos!".

Nada parecía más fácil, y el oficial sacó unas cuantas brazas de cuerda con uno nudo corredizo y el barco pesquero pronto atrapó al oso nadador. Fue fácil tirar la soga a la cabeza del animal y atarla rápido al barco. Después, el pescador arrancó el motor y empezaron a arrastrar al oso a unos cuatro nudos.

El oso, sin embargo, se opuso. El agua se metía en sus ojos y su boca y la cuerda alrededor de su cuello lo estaba ahogando. Posiblemente hubiera continuado pasándola mal si el agua en el motor no lo hubiera dañado.

El pescador saltó del timón al motor y el oficial tomó el control para guiar el barco con la velocidad que le quedaba. No le prestaron atención al oso durante algunos segundos.

De repente el barco se tambaleó por el impacto de un golpe tremendo. Las tres tracas superiores en el lado de estribor se hundieron como trocitos de madera. El barco dio un terrible bandazo y algunos cientos de galones de agua ansiosa se desparramaron al interior del casco.

¡El oficial se puso como un torbellino cuando vio que el oso que estaban remolcando estaba subiendo a bordo! De alguna manera se había acercado al barco, ¡se había agarrado a un lado y estaba subiendo!

El pescador saltó al mirador del timonel desde abajo y el oficial saltó a cubierta, con una idea vaga de empujar al oso para lanzarlo de nuevo al agua con un remo.

El oso salía más y más del agua y el barco pesquero estaba escorando y tragándose todo un océano de un trago.

Con un lúgubre gemido el pescador gritó: "¡era un *pardito!*".

El oficial no necesitaba que se le confirmara. La cabeza de la bestia, su pelo aplastado por el agua (que naturalmente era pequeño de todos modos) los habían engañado por completo. Chorreando y rugiendo, el pardito subió a bordo y se lanzó contra el oficial.

El oficial no tenía ningún deseo de enfrentarse a golpes con un Kodiak de tres cuartos de tonelada y lo esquivó por el lado de un mirador del timonel que se encontraba en la cubierta. El oso, meneando el pequeño barco como si un huracán lo hubiera golpeado, inició una persecución. El oso guardaba rencor porque no le gustó que lo arrastraran a cuatro nudos.

"¡Entra!", gritó el pescador, dirigiéndose al oficial, no al oso, y tiró de su pasajero humano hasta llevarlo al mirador de timonel. Juntos consiguieron cerrar bien la puerta.

El pardito se agachó y se quedó mirando fijamente a través de las ventanillas del timonel; las ventanillas eran demasiado pequeñas como para dejar pasar sus garras. Azotó la estructura durante un rato y después, al no poder causar una impresión, se rindió. Además, estaba cansado.

Se fue a la popa donde estaba la escotilla llena de pescado y se sentó, haciendo que la proa se saliera del agua. Jadeó y se agarró a la cuerda que tenía alrededor del cuello, lanzando de vez en cuando promesas hacia el mirador del timonel.

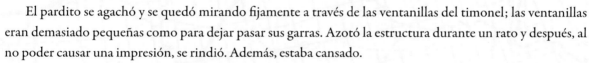

Abajo, el pescador estaba achicando el bote como un loco, en un intento por evitar que el pequeño barco se inundara, pero el agua ya estaba hasta el carburador y hasta la bobina del motor y poco a poco entraba más.

Decidieron dejar que la marea llevara el barco cerca de unas rocas más adelante, con la esperanza de que el oso pudiera sentir alguna gratitud por haber sido transportado allí, se fuera a la orilla y los dejara. Lentamente se movieron hasta las rocas, se resbalaron en una y se mantuvieron allí debido a la corriente.

Los hombres tardaron en darse cuenta de que el oso todavía seguía atado al barco con una cuerda muy fuerte, y si se le iba a poner en tierra, algo se tenía que hacer para desatarlo.

Los pescadores abrieron un poco la puerta. El oficial se movió por el borde hacia la cornamusa y la cuerda. Con un rugido y una acometida el oso recordó su venganza. El oficial regresó corriendo, y el oso pegó en la puerta.

El movimiento del pardito hizo que el barco escorara a estribor y el agua empezara a entrar con nueva furia. Seguramente, si hubieran dejado al oso una hora más, hubieran tenido que entregarle el barco.

La marea se calmó un poco y luego empezó a moverse en la dirección contraria. La noche se acercaba y con ella el viento. El oficial y el pescador se turnaban con el bombeo y, al continuar enérgicamente con la operación, fueron capaces de evitar que el agua ahogara el motor por completo. Decidieron que esto no podía continuar por siempre.

Finalmente, se les ocurrió una idea. Tomaron un gancho de pesca que pudieron alcanzar desde la ventanilla del mirador del timonel y le ataron un cuchillo en un extremo. Luego, moviéndose lentamente para no atraer la ira del pardito, empezaron a cortar la línea con este control remoto.

Pero cuando la línea se cortó el marroncito no hizo ningún esfuerzo por aprovecharse del hecho. No estaba agradecido. Se había calmado considerablemente y se había interesado en el delicioso olor del pescado que llegaba a su nariz. Finalmente localizó la fuente de ese olor y con un golpe de su garra tiró la tapa de la canasta de pescado. Ahí encontró bastantes pescados preciosos y prosiguió a darle una mordida a la barriga de cada uno, tirando por a borda veinte kilos de pescado sobrante.

Estaba oscuro y la marea estaba bajando, pronto el barco pesquero estaría encima de un arrecife, desde el que posiblemente se caería, lo que no traería buenas consecuencias para el barco o para ninguno de los que estaban a bordo.

La desesperación hizo que los dos hombres agotados tiraran trozos de carbón al oso, que ahora estaba empezando a adormilarse.

Los primeros golpes pasaron desapercibidos hasta que finalmente el oso se levantó, le dio al mirador del timonel un último meneo y después salió enfadado, caminó hacia las rocas y se fue a la orilla.

Los hombres estaban contentos al verlo partir.

Lograron sacar el agua del barco, bajarlo de las rocas y hacer funcionar el motor. Entonces se fueron a casa.

Muy bien, eso es, caballeros, toda la descripción de mi... del incidente del oso. Es una mentira que alguno haya roto el corazón del oso o que el oso quisiera besar a alguien. También es una mentira que alguien haya mostrado la más mínima inclinación por pelear con ese oso. Y cualquier canción escrita al respecto, y cualquier chiste hecho al respecto, son calumnias. Es suficiente el aguantar la broma en Alaska, como para también tener que aguantarla aquí. En resumidas cuentas, ¡toda la historia es una gran mentira! *Ronald*

Recetas para la Aventura

E TODO LO DEMÁS QUE LA EXPLORACIÓN pueda representar en la imaginación popular, lo que es generalmente inimaginable son los elegantes platos en las mesas de los banquetes del Club de Exploradores. Tradicionalmente se describían como cenas de safari, los platos principales tienden a variar de lo verdaderamente exótico a lo francamente extraño. Por ejemplo, además de aquellos filetes de mamut exhumados de glaciares primitivos, se decía que las ensaladas incluían hierba no digerida que se había encontrado en la panza del mamut. Luego estaban los "frijoles de Peggy" del senador y domador de caballos estadounidense, Barry Goldwater; los "bizcochos" y el "pastel de jamón" del astronauta estadounidense John Glenn; seguidos de pasteles de saltamontes, cazuela de lamprea y sopa de avispa; por nombrar sólo unas cuantas de las delicias culinarias que se encuentran en *El Libro de Cocina de los Exploradores: Un Popurrí Internacional de Recetas y Cuentos de Aventureros del Mundo.*

El texto habla más o menos por sí mismo. Leemos en la introducción: "Escrito por hombres que llevan vidas llenas de emoción y grandes aventuras que la mayoría de nosotros sólo llegamos a soñar. Este es el 'libro de cocina' más inconformista que se haya publicado jamás: un popurrí internacional que habla de los miembros del mundialmente famoso Club de Exploradores". Aunque para eludir cualquier responsabilidad, los editores se sintieron obligados a añadir:

"Muchos libros de cocina contienen prefacios en que se encuentran declaraciones que afirman que se han hecho pruebas de laboratorio, pruebas en cocinas caseras, mediciones estándares y toda clase de cosas. ¡Nada de esto se ha hecho con *este* 'libro de cocina'!

"Claro que encontramos tan tentadoras muchas de las recetas que difícilmente pudimos esperar para prepararlas y hacerles una 'prueba casera'. Pero debido a que se sabe que los exploradores, bajo condiciones de supervivencia, comen prácticamente cualquier cosa, sólo recomendamos algunas de estas recetas a las almas aventureras de fuerte corazón y de estómago aún más fuerte, que puedan hacer su propia prueba y degustación".

Las recetas de Ronald provienen de un rincón exótico similar del menú y el consejo que da el Club de Exploradores es aplicable: esto es lo auténtico y es sólo para aquellos con almas aventureras y estómagos a la par. De sus diversos viajes al Caribe viene la "Iguana asada" sobre una hoja ancha. De su siguiente expedición al norte de África y al Mediterráneo viene su cabeza de oveja chamuscada (con ojos y todo) y sus pequeños caracoles blancos con regaliz. También se incluye aquí el propio *bon appétit* introductorio de Ronald.

Boubbouche

En los restaurantes franceses de todo el mundo, se pueden pedir caracoles de Borgoña grandes y de color gris.

Pero los "boubbouche", como los llaman en la antigua y bella ciudad de Fez, que se sirven calientes o fríos en encantadores cuencos de cerámica y que se comen con tiras de acacia silvestre, son pequeños y blancos.

Los árabes los cocinan en una salsa muy perfumada, que dicen que purifica la sangre, despierta el apetito y garantiza que los platos muy condimentados que les siguen no caigan mal al estómago. De hecho, a menudo el caldo se sirve sólo, a modo de aperitivo.

En primer lugar, los caracoles se tienen que conservar frescos y secos en un plato perforado, "ayunando" durante varios días.

Se lavan no menos de siete veces: tres veces en agua dulce, una en salmuera fuerte, y tres veces de nuevo en agua dulce, antes de colarse.

Se pone a hervir una olla con agua suficiente para cubrir los caracoles. Cuando suelta el hervor, se agrega:

una pizca grande de anís
una pizca grande de alcaravea
dos o tres trozos de regaliz
una cucharada sopera de tomillo
un puñado pequeño de té verde
una ramita de salvia
una ramita de ajenjo
un manojo pequeño de menta
una ramita de mejorana
la cáscara de una naranja amarga
una pizca de pimiento de Sudán
sal al gusto

Remover un poco, añadir los caracoles, cubrirlos y dejar que se cuezan al menos durante dos horas.

Poner todo a enfriar en un cuenco. Justo antes de servirse, se puede recalentar.

¡Un plato fuerte!

Bou i laff

Una variación del conocido shish kebab o shashlik se puede encontrar más al oeste donde el mundo árabe se extiende más allá del azul Mediterráneo hacia el más grisáceo Atlántico.

Lleva el nombre de BOU I LAFF; se prepara con rapidez y no lleva mucho tiempo cocinarlo (una gran ventaja para un trotamundos hambriento tras un largo día en la cordillera Atlas).

Muy rápidamente se fríe medio kilo de hígado de ternera por todos lados y luego se corta en cubos de unos dos centímetros y medio. Los cubos se salan, se espolvorean con un toque de comino y con una pizca de pimienta roja. Luego se envuelve en tiras de peritoneo de oveja, se pone en brochetas y se asa ligeramente.

No es un plato para un banquete formal en una tienda de campaña ricamente alfombrada, pero es de primera clase mientras se espera el carnero al vapor, que se ha estado cocinando durante algún tiempo, en espera de tu regreso.

Choua

Poner un trozo grande y grueso de cordero (por lo menos la espaldilla y las chuletas) frotado con sal y azafrán molido, y envuelto en una servilleta, en la parte superior de una olla para baño María, tapado y atado con bramante. Se deja a fuego intenso durante unas tres horas.

No necesita ningún condimento adicional excepto quizá algo de sal y comino molido.

A menudo la *cabeza* de la oveja se cocina de esta manera. Se afeita la cabeza y se chamuscan los pelos restantes.

Los cuernos se cortan de un hachazo rápido. Se sacude la cabeza con vigor para sacarle los gusanos de la boca y de las orejas.

Con otro hachazo se parte la cabeza en dos y así se pueden retirar los sesos, que se lavan en ceniza, se enjuagan y se cocinan por separado.

La cabeza se envuelve en una servilleta y se cuece al vapor.

El ojo es un bocado delicioso. Lo empujas hacia fuera delicadamente con un dedo, extraes y tiras el iris, y lo condimentas con un poco de comino y sal. Y asegúrate de disfrutarlo a lo grande.

———

En algunas partes de la cordillera Atlas, los árabes tienen hornos redondos hechos de cal y tierra. Estos hornos se usan para preparar un extraño pero delicioso desayuno.

Al amanecer, de los hornos sale una procesión de cabezas ligeramente asadas y estofadas.

Se limpian con agua salada, se trasquilan, se chamuscan y se retiran los sesos, se meten en los hornos calientes sobre capas de hierba, mientras el sol se pone.

Las aberturas de los hornos se taponan con lodo y hierba.

Por la mañana se abren, y el más delicioso aroma preludia un desayuno original e inolvidable.

El sabor de la lengua y los carrillos es tan delicado que sólo necesitan un toque de sal y comino molido.

Iguana Asada

Me senté en compañía de un jefe en los pantanos del interior de Centroamérica, cuando me sirvieron una deliciosa carne blanca en una hoja ancha.

De pronto recordé el hecho de que no había visto pollos en esa área. Alerta, cortésmente pregunté qué era.

"Cola de lagartija", me dijeron.

Cuando muy cortésmente había terminado la cena, el jefe estaba tan complacido ante mi obvia satisfacción (a veces un explorador tiene que ser un actor consumado) que me mostró cómo se preparaba.

Hay iguanas de diferentes tamaños. A pesar de su rapidez se les caza a flechazos.

Sólo se usa la cola. Que llega a ser hasta un tercio de la longitud del reptil.

La cola se corta cerca del cuerpo. Se le introduce una estaca para mantenerla recta y se tuesta mientras se le da vueltas sobre las brasas.

Entonces se despelleja y se pone sobre cualquier hoja verde ancha.

La carne, aparte de un leve matiz verdoso, en realidad no es muy diferente a la pechuga de pollo.

Me han hablado de diferentes formas de cazar y cocinar iguanas, que varían de una zona a otra.

Sin embargo, lo que quiero dejar en claro es que cuando uno está cenando con jefes nativos corteses y formales, lo más prudente es no preguntar a media comida lo que uno está comiendo. *Ronald*

Ruinas greco-romanas de Cerdeña, donde la exploración de Misión en el Tiempo dio a conocer numerosos datos históricos olvidados

Misión en el TIEMPO

Izquierda Abordo del Enchanter antes de lanzar la Misión en el Tiempo, 1968

"POSIBLEMENTE EL LUGAR MÁS EXTRAÑO AL QUE PUEDA IR un explorador es hacia adentro", declaró L. Ronald Hubbard a finales de 1949. Se refería, por supuesto, a la mente humana o a lo que de otra forma describió como aquella *Terra Incógnita*, que se encuentra "un centímetro detrás de nuestra frente". Lo que en general no se percibe, sin embargo, y que inevitablemente nos conduce a la expedición final de Ronald, es el hecho de que su primera explicación formal de esta *Terra Incógnita*, y por lo tanto de la llegada de Dianética, apareció apropiadamente en el *Diario del Club de Exploradores*.

Su razonamiento era bastante simple: "El raudo vuelo de los aviones está devorando rápidamente las fronteras de la Tierra. Las estrellas todavía no se han alcanzado. Pero sigue existiendo un lugar misterioso e ignoto que, si bien es un extraño horizonte para un aventurero, puede, no obstante, producir algunas aventuras con las que Livingstone apenas podría competir". Además, como también señaló, los principios de Dianética eran pertinentes tanto para el explorador de lugares lejanos como para el hombre de la calle y, de hecho, se ha sabido de muchas expediciones que han fracasado por la incapacidad de pensar con claridad en momentos de crisis. De esta manera, y específicamente en nombre

de exploración a lo grande, los miembros y socios del Club de Exploradores fueron de hecho los primeros en examinar la descripción oficial de Dianética hecha por L. Ronald Hubbard.

Se había suministrado toda la teoría esencial: cómo se retiene y se recupera la memoria humana, cómo el dolor físico y la inconsciencia que se sufren en el curso del trabajo expedicionario pueden afectar el comportamiento y la salud, y cómo se pueden usar las técnicas de Dianética para aliviar tal sufrimiento. También se incluía la teoría de Dianética relativa a la selección del personal expedicionario y una sinopsis de los procedimientos de Dianética que pueden usarse en el campo.

Con la fundación de Scientology tres años más tarde y con lo que se puede describir como la primera explicación científica de temas espirituales, el punto de comparación de Ronald se volvió aún más claro: "Como miembro de ese equipo de expertos en el tema, del Club de Exploradores, como alguien que

Misión en el

Tiempo

ha navegado en los siete mares, que ha esquivado balas disparadas por enojo y ha visto que otros no son capaces de esquivarlas, puedo confirmar que cuando se midan todos los horizontes, se tracen mapas de todos los pantanos, se cartografíen todos los desiertos y se les provea de agua y rescate instantáneo, todavía quedará por explorar un mundo de miedos, abatimientos y alegrías desconocidos. Todavía quedará un universo de aventura, un universo lo suficientemente poderoso como para intimidar a los últimos miles de años de hombres pensantes: Tú.

El universo que eres tú.

A lo cual podríamos añadir que cuando hablaba de: "El universo que eres tú," se refería a una visión por completo magnífica de nuestras capacidades como seres espirituales inmortales e infinitos.

Si tal declaración parece contradecir los temas expedicionarios que por lo general se aceptan, no es necesariamente así y, de hecho, un buen número de miembros del Club de Exploradores mencionan haber sido testigos de maravillas que les han dejado preguntándose para siempre qué es científicamente aceptable. (Por ejemplo, después de su expedición a la luna en 1971 el astronauta del *Apollo 14*, Edgar Mitchell, se dedicó a lo que podría describirse como investigación paranormal). Luego, además, y aún más pertinente, está todo lo que cae en el apartado de la investigación para-arqueológica, que incluye los descubrimientos en verdad impresionantes de aquellos que parecían haber "recordado"

yacimientos arqueológicos claves a partir de vidas anteriores.

Los detalles varían, pero si se acepta una revelación central de Scientology en la que se sostiene que el hombre posee experiencia de muchas vidas a lo largo de muchos siglos, entonces lógicamente aquella experiencia tendría algo que ver con los descubrimientos arqueológicos. Entre otros casos que se mencionan con frecuencia están los de los niños tibetanos e hindúes que, según los informes, recuerdan no sólo encarnaciones anteriores, sino la ubicación verificable de reliquias enterradas en lugares que nunca habían visitado. Además existen también varios casos de scientologists que recuerdan un nombre, por lo demás olvidado, de una vida anterior sólo para encontrar ese mismo nombre en una lápida igualmente olvidada. Finalmente y aunque sea sólo para seguir este razonamiento, no se pueden ignorar las sugerencias de Heinrich Schliemann de que algo similar estaba en acción cuando armado básicamente sólo de un ejemplar de la *Ilíada* y la obsesión de toda una vida, desenterró las ruinas de Troya.

La proposición de Ronald, si bien era más científica en su diseño, era igualmente aventurada. Se preguntaba si era posible verificar los detalles de las memorias de vidas pasadas con la evidencia material de la investigación arqueológica. A manera de información preliminar, quería que comprendiéramos que por memorias de vidas

Derecha
Ruinas romanas en Nora, Cerdeña. Los arqueólogos no fueron capaces de descubrir una entrada secreta al Templo de Tanit, LRH proporcionó a los equipos de exploración una descripción explícita de las dimensiones: 2 metros de profundidad, 4.5 metros de longitud y unas losas con un patrón característico en la boca del pasaje. Y por supuesto, cuando se retiró la tierra que se había acumulado a lo largo de 2,500 años, apareció el pasaje secreto en la base de la Torre de Tanit, exactamente como se había descrito.

pasadas se refería específicamente a la "línea temporal completa" que él definía como "el registro momento a momento de la existencia de la persona en este universo en forma de cuadros e impresiones'. En cuanto a los detalles de cómo es que cada una de estas impresiones se registra, se almacena y se recuerda, esto es el ámbito de Dianética. Sin embargo, basta con decir que esas impresiones son reales, y que pueden verificarse como tales. Así que la pregunta llegó a ser, no si la memoria de toda la línea temporal era válida, sino si uno podía sacarla a la luz para lograr un avance arqueológico. Como información preliminar adicional, los lectores deberían comprender que los experimentos similares que se llevaran a cabo durante las décadas de 1970 y 1980, incluyendo la investigación "paranormal" que realizara Stephan A. Schwartz, miembro del Club de Exploradores, en busca de la tumba de Alejandro Magno, se derivaron básicamente de esto y Ronald fue sin duda alguna el primero en explorar esta dimensión.

La correspondencia inicial sólo se refiere de forma incidental al asunto. "Estamos organizando la Expedición Océano-Arqueológica", informaba a los encargados de museos de Nueva York y Londres en mayo de 1961 y describió una futura búsqueda de objetos "pertenecientes a la cultura mediterránea, que probablemente se encuentran en ciudades y puertos de eras pasadas o en cargamentos

transportados en embarcaciones antiguas'. A pesar de que en ese entonces recibiera la bandera número 163 del Club de Exploradores y procediera a la reparación de una lancha a motor Fairmile clase "B", no fue sino hasta septiembre de 1967 que los planes se llevaran a cabo en realidad. Para esa fecha, la Expedición Océano-Arqueológica se había convertido en algo más amplio, la Expedición de Exploración Geológica Hubbard, y se había reemplazado al Fairmile por dos embarcaciones: el *Enchanter*, un queche de alta borda capaz de navegar tanto de proa como de popa, y el *Avon River*, un arrastrero del Mar del Norte, de 45 metros de eslora. Asimismo, los objetivos que se planteaban eran aún más grandiosos: "Realizar una exploración geológica general completa de una franja que pasaba por Italia, Grecia, el Mar Rojo, Egipto, a lo largo del Golfo de Adén y la costa este de África', y simultáneamente "encontrar y examinar reliquias y objetos, y de esta manera posiblemente ampliar el conocimiento humano de la historia'. Aunque si bien no hiciera mención oficial alguna sobre la manera en que podrían encontrarse tales reliquias y objetos, los ejercicios preliminares lo contaban todo.

A lo largo principalmente de la costa sur de Inglaterra, se enviaron grupos a pie o a bordo de pequeñas embarcaciones con mapas que LRH había trazado de emplazamientos arqueológicos menores extraídos de la memoria de la línea temporal

Arriba
El *Avon River* (IZQUIERDA) sirvió como base para la expedición, mientras que el *Enchanter* (DERECHA) actuaba como buque de observación

Derecha
El buque de la expedición, *Enchanter*

Arriba
Ruta de la
expedición
Misión en
el Tiempo.

completa. Es decir, sin ayuda de guías históricas locales ni de investigación previa, dirigió a los equipos de la Exploración Geológica Hubbard hacia ruinas sumergidas o enterradas desde hace mucho tiempo alrededor de la costa sur y oeste de Inglaterra. En su mayoría, los yacimientos eran anglo sajones o romanos, y eran insignificantes. Pero habiendo determinado la ubicación de estos yacimientos basándose solamente en la memoria de la línea temporal completa; es decir, habiendo recordado características específicas de un paisaje de dos mil años de antigüedad, Ronald fue capaz de dirigir con éxito a sus equipos hacia ruinas que de otra manera hubieran permanecido olvidadas. Por supuesto, las ramificaciones eran enormes (en lo científico, lo religioso y lo filosófico). Pero dejando a un lado la significación mayor de lo que implica la memoria de la línea temporal completa, continuemos hacia el sur hasta Las Palmas, en las Islas Canarias, donde las embarcaciones recibirían una revisión final, y de ahí al puerto español de Valencia y al inicio formal de lo que Ronald llamó: "Una Prueba del Recuerdo de la Línea Temporal Completa", o de lo que se recuerda ante todo como su misión en el tiempo.

Con el *Avon River* como su embarcación expedicionaria principal y el *Enchanter* como embarcación de exploración, los grupos de exploración tocarían finalmente varios puertos mediterráneos. Sin embargo, en líneas generales, las miras se pusieron principalmente en Cerdeña, Sicilia y la costa de Tunicia. Estas zonas, por supuesto, se cuentan históricamente entre las aguas más ricas del mundo, pues han tenido tráfico continuo durante al menos unos cinco mil años; mientras que Sicilia, en particular, ha sido objeto de muchas disputas y se ha reconstruido en repetidas ocasiones. De especial interés, sin embargo, fueron los restos griegos, cartagineses y romano-fenicios posteriores, desde alrededor del año 200 A. C. hasta el año 300 D. C. Además, con las leyes que restringen de manera infame la excavación a lo largo de prácticamente todas las costas europeas y del norte de África, la atención se puso no tanto en la recuperación de objetos como en la localización de restos olvidados.

La tónica general es moderadamente prosaica a lo largo de las descripciones de lo que siguió. El énfasis está en las cuestiones logísticas, en la seguridad física de una tripulación inexperta, en el manejo de las embarcaciones y en el perfeccionamiento de las reglas mediante las cuales se conducían de forma óptima las misiones. En efecto, fue específicamente de esta misión en el tiempo de donde se derivaron

Izquierda
La entrada oculta desde hacía mucho tiempo debajo de las ruinas de Tanit, intacta desde antes del nacimiento de Cristo y desenterrada únicamente gracias al recuerdo de L. Ronald Hubbard sobre una civilización antigua

Abajo
Notas de LRH sobre la excavación de Cerdeña durante la Misión en el Tiempo

gran cantidad de las ahora famosas políticas de misión de Ronald, incluyendo el uso de modelos en plastilina para representar posibles yacimientos. Como dato adicional sobre las representaciones en plastilina, los lectores deberían comprender que el sistema era único y, francamente, ingenioso. Ya que además de proporcionar a los grupos de exploración una disposición del terreno antes de siquiera ponerse en marcha, los modelos servían como una verificación tangible de los yacimientos. Es decir, ¿correspondían en realidad los modelos en plastilina de Ronald, los cuales debemos recordar que hizo sin ayudas visuales ni mapas, a lo que los grupos de exploración encontraban? Como observación complementaria, también se podría hacer notar que los grupos de exploración informaron que regresaban repetidamente al *Avon River* para realizar un segundo o tercer estudio de aquellos modelos en plastilina, hasta que el paisaje real finalmente comenzaba a tomar una forma reconocible.

Al mismo tiempo, de una manera totalmente normal, Ronald continuaba hablando de: "Describir un área, en la que nunca había estado durante esta vida, decir con exactitud cuál era el estado de las cosas y luego enviar grupos para ver si podían ubicar

Arriba
Una excavación
de la expedición
en Sicilia donde
LRH recordó un
domo romano
de una tumba
cerca del Cabo
Orlando y donde
posteriormente
las excavaciones
de hecho
revelaron un
sepulcro de la
época del Imperio
Romano que
estuvo enterrado
durante mucho
tiempo

Derecha
La torre cerca de
Castellammare,
Sicilia.
Descripción de las
ruinas hecha por
LRH, basándose
exclusivamente
en la memoria de
"la línea temporal
completa", dice
así: "Justo fuera
de la entrada y
45 centímetros
detrás de la
pared, frente a
la torre, habrá
un hueco". En la
nota también
decía que habría
paredes cóncavas
y losas azules,
las cuales se
encontraron
intactas y
exactamente
como Ronald
lo indicó.

y estimar con precisión si estos recuerdos eran o no exactamente correctos". Como otra observación sobre la logística, se podría añadir que los equipos de exploración generalmente salían en pequeños veleros desde el *Avon River,* o desde el *Enchanter,* lo cual, a su vez, requería una pericia náutica que no abundaba; de ahí la atención continua de Ronald a los asuntos náuticos para asegurarse de que todas las partidas, como él comentara bromeando, "mantuvieran nuestro oportuno rumbo náutico y regresaran sanas y salvas al punto inicial de donde partimos". Sin embargo, hasta la descripción más rutinaria de los acontecimientos no deja de evocar algo maravilloso.

Por ejemplo, a principios de febrero de 1968, la expedición se acercó a un primer "objetivo" que yacía en el extremo sudeste de Cerdeña, donde Ronald había hecho un esbozo de unos cimientos del siglo II A. C., descritos como el Templo de Tanit, dedicado originalmente a la patrona de Cartago del mismo nombre (o la supuesta variante de la fenicia Asherat, madre del mar). Aunque la estructura en sí se había conocido desde 1952, no se conocía lo que Ronald recordaba como una entrada más baja y oculta. En otras palabras (y esto, una vez más, sin nunca haber puesto los ojos en la estructura), los bosquejos de LRH indicaban la presencia de una entrada sin excavar *debajo* de la base del templo. Después de lo cual, él explica de pasada: "Se enviaron

misiones a tierra para reconocer y hacer un mapa del área, para ver si podían descubrir esta vieja entrada secreta del templo como el objetivo que demostraría la memoria de la línea temporal completa.

Arriamos los botes, e hicimos varios viajes a tierra para llevar a la gente. Lo inspeccionaron todo y llegaron con resultados".

Es decir, tal y como uno de los integrantes de los grupos de exploración procedió a explicar, habiendo determinado que había una "zanja" en la base del templo "rascamos por el fondo de la zanja y encontramos que estaba embaldosada debajo de una capa delgada de polvo y tierra... Continuamos excavando hasta que estuvimos totalmente convencidos de que esta era la zanja que conducía al sótano del templo. De modo que eso se demostró con total exactitud".

De manera similar, también se comprobó que eran igual de exactos los bosquejos de LRH de una tumba romana con cúpula, en el centro de un cementerio en la isla de Sicilia, a ocho kilómetros de un castillo cerca de cabo Orlando. Estos bosquejos fueron un tanto más impresionantes por el hecho de que las lápidas indicadas hacía tiempo se habían desmantelado para la construcción de establos y por lo tanto no aparecían en ningún mapa local. En cualquier caso, como también otro integrante del grupo de exploración explicó: "Viajamos alrededor de día y medio o dos y allí estaba la playa

Derecha
Vista desde la bahía de unas ruinas sicilianas abandonadas: "Y era bastante interesante ver la esterilidad y el desamparo de estas ciudades antiguas" —LRH

Abajo en el recuadro
La tripulación del *Enchanter* preparándose para partir a otro objetivo

exactamente como se describía en el mapa. Ronald también nos había dado, antes de nuestra llegada, un segundo mapa que mostraba exactamente el plano de la torre, qué aspecto tendría, qué aspecto tendría la bodega, y la construcción completa de la torre. Fuimos hasta la torre, excavamos durante varias horas y encontramos la estructura exacta que se indicaba".

Luego siguieron los igualmente veraces bosquejos de Ronald de unas ruinas romano-cartaginesas en Túnez (también enterradas desde hacía tiempo debajo de estructuras modernas e igualmente ignoradas en las guías locales), a las que siguieron sus indicaciones de unas ruinas cartaginenses-fenicias recién descubiertas bajo las aguas del puerto. Por último y con un detalle genuinamente asombroso, fue capaz de describir la vista desde la proa de una embarcación en la boca de una ensenada tunecina nunca antes visitada, incluyendo hasta los más mínimos detalles de las formaciones rocosas. Es decir, antes de zarpar del puerto de Túnez, Ronald había bosquejado un tramo, prácticamente insignificante, de la costa en dirección al sur. Tras arribar en completa oscuridad, informó a la tripulación del *Avon River:* con plena confianza: "La proa del barco (estaba muy oscuro) apunta ahora hacia una colina puntiaguda al lado este de una pequeña ensenada y ahí hay un peñasco...".

Arriba
Se usaron detectores de metal para ayudar a ubicar ruinas enterradas desde hacía mucho tiempo

Derecha
Ruinas romanas cerca de Cártago en la Tunicia de hoy en día. Aquí, también se comprobó que los recuerdos de LRH eran de una exactitud imponente, pues incluso mencionó las formaciones rocosas sobre ensenadas olvidadas hacía mucho tiempo

A continuación, los equipos de exploración esperaron el amanecer y eso fue precisamente lo que observaron.

Los comentarios incidentales de LRH son igualmente fascinantes. En primer lugar, explicaba que la investigación de la línea temporal completa (en combinación con la evidencia material) sugería que las poblaciones antiguas habían sido muchísimo mayores de lo que normalmente se calculaba (al menos cinco veces la cifra generalmente aceptada) y de esta manera se explicaban, por ejemplo, las 160 ciudades que una vez adornaron la hoy relativamente yerma Sicilia. También se subestimaba de forma habitual el tamaño de las tropas del mundo antiguo, ya que las cifras arqueológicas con regularidad no toman en cuenta la proporción de cinco a uno del factor de refuerzo logístico de los ejércitos. De ahí la incisiva observación de LRH: "El arqueólogo comete un error fundamental y fantástico. Cuando cuenta el número de soldados enzarzados en una batalla, omite las cantidades de suboficiales de intendencia, de empleados administrativos y, por supuesto, de 'supergenerales' que se quedaban detrás de las filas". Además, aquí también se encuentra la conclusión general de LRH que se refleja en ensayos posteriores sobre administración equitativa (por la que también es igualmente famoso). Nos dice que el mundo antiguo no sucumbió, en última instancia, a una embestida de los bárbaros, sino que sucumbió debido a las luchas internas y a su propia mala administración política.

Lo que asimismo podría concluirse de estas extraordinarias cinco semanas es, por supuesto, un tema amplio, que afecta a las concepciones populares del mundo antiguo. También, por supuesto, afecta en gran medida a las formas en que podríamos aprender sobre ese mundo, y de hecho, misión en el tiempo inevitablemente inspiró varios proyectos similares, incluyendo la famosa experimentación "paranormal" del Stanford Research Institute (Instituto de Investigación de Stanford) financiado por la Marina de Estados Unidos. También, como se sugirió, las similitudes con el Proyecto Alejandría de Stephan A. Schwartz, que también era miembro del Club de Exploradores, son demasiado llamativas para ser ignoradas. Sin embargo, declarando que el máximo reino de la aventura se encuentra dentro del espíritu humano, dentro de un universo de la mente que "minuto a minuto se abre y se despliega", el propio Ronald dejó a un lado tales asuntos y regresó a su ruta de exploración primaria, el desarrollo de Scientology. No es que haya dejado de navegar en mares extraños y de medir horizontes distantes. Pero de ahí en adelante, cuando hablaba de exploración hablaba nada menos que del descubrimiento de "el infinito de infinitos" ∎

Epílogo

"La aventura es mi estandarte", declaró L. Ronald Hubbard hace mucho tiempo, y procedió a grabar profundamente esa frase a lo largo de muchas tierras lejanas, mares distantes y cielos sin límite. Además, la grabó profundamente a lo largo del más oscuro de todos los reinos, aquella *Terra Incognita* dentro de nosotros, y así vino a encarnar todo lo que imaginamos cuando oímos las palabras: "Los hombres tenían que ser grandes o caer ante lo desconocido".

Pero, a no ser que nos perdamos la mayor lección contenida en estas páginas, concluyamos con lo que Ronald mismo nos pediría tener en mente. Sí, hay mucho que decir sobre la atracción de los horizontes extraños y las tierras remotas, pero tampoco olvidemos que "La aventura, como bien lo sé yo, yace en el corazón, no en los panoramas".

APÉNDICE

GLOSARIO

abombado: referencia a una blusa de mangas cortas y redondeadas de forma similar a un globo. Pág. 43.

acacia: árbol o arbusto pequeño que tiene pequeñas flores amarillas y hojas estrechas. Pág. 111.

Adventure: revista de pulp estadounidense fundada en 1910. Fue una de las publicaciones de pulps producida por Popular Publications (Publicaciones Populares); esta revista presentaba aventuras y ficción. Pág. 2.

Aeropuerto del Congreso: aeropuerto que se encontraba cerca de Washington, D.C. Era la ubicación de varias escuelas de vuelo y a principios de la década de 1930, fue el lugar donde LRH participó en vuelos acrobáticos. Pág. 53.

afloramiento: filón o capa de mineral que asoma a la superficie. Pág. 36.

Agencia de Recursos Naturales: en Estados Unidos, es la agencia más grande de energía hidráulica, ciencias de la tierra, ciencias biológicas y cartografía civil. La Agencia de Recursos Naturales recolecta, supervisa, analiza y proporciona información científica sobre la condición de los recursos naturales así como de sus cuestiones y problemas. Pág. 10.

agente de arrendamiento: arrendar significa realizar un acuerdo legal por el que se paga dinero por usar algo, por ejemplo, equipo, vehículos o algo similar, por un periodo acordado. Por lo tanto un *agente de arrendamiento* es un agente (una persona que organiza las transacciones entre las otras dos partes) que se asegura de que el equipo que es propiedad de una persona sea arrendado a otro que desee utilizarlo durante un período determinado. Pág. 19.

agraciado: que ha recibido algo como elegancia, belleza o algún don similar. Pág. 38.

ajenjo: una hierba que tiene un sabor un poco aromático y amargo. Pág. 111.

alcaravea: tipo de hierba que se cultiva por sus fragantes semillas, las cuales se usan como condimento en diferentes comidas. Pág. 111.

Alejandro Magno: (356–323 d. C.) general militar y rey de Macedonia (un antiguo reino al norte de Grecia) que conquistó gran parte de lo que se consideraba entonces el mundo civilizado, y que se extendía desde la actual Grecia hasta la India. Su tumba era el santuario más renombrado y respetado del Imperio Romano, y permaneció durante siglos en el corazón de la ciudad griega más importante del mundo, Alejandría. Al final del siglo IV D. C., desapareció sin rastro y ha sido una de las tumbas más buscadas. Pág. 120.

Aleutianas, islas: cadena de islas más allá del sudoeste de Alaska, que separan el Mar de Bering del Océano Pacífico. Pág. 100.

aleutiano: pueblo nativo norteamericano que habita en las islas Aleutianas y en el oeste de la península de Alaska. Pág. 100.

almas fervientes: personas de un tipo particular, en este caso se refiere a personas físicamente vigorosas, fuertes y sanas. Pág. 53.

altímetro: instrumento que indica la altura sobre el nivel del mar, y se utiliza sobre todo en un avión. Pág. 53.

aluvial: terreno formado por *aluvión,* sedimentos arrastrados por las lluvias y las corrientes. Pág. 28.

aluvión aurífero: depósito de arena o grava encontrado, por ejemplo, en el cause de un torrente, que contiene partículas de oro o algún otro mineral valioso. Un depósito aluvial se lava para separar los minerales valiosos. Pág. 42.

Andersonville: ciudad en el sudeste de Indiana, estado al norte de la parte central de Estados Unidos. Pág. 78.

Andrews, Roy Chapman: (1884–1960) autor y explorador estadounidense. Entre 1916 y 1930 Andrews dirigió expediciones en partes de Asia. En el desierto de Gobi se encontraron restos de muchos tipos de dinosaurios que no eran conocidos y se encontraron los primeros huevos de dinosaurio. *Véase también* **Gobi** Pág. 100.

anglosajones: relacionado con los pueblos germánicos que se asentaron en Inglaterra a comienzos del siglo V. Pág. 122.

Antillas Menores: islas de las Indias Occidentales, que se extienden en un arco desde Puerto Rico hacia la costa noreste de América del Sur, incluyendo Dominica, Granada, Santa Lucía, San Vicente, Martinica, Saint Kitts, Antigua y las Islas Vírgenes. Pág. 20.

Antillas, las: cadena de islas que separan el Océano Atlántico del Mar Caribe, que está dividida en dos partes, una incluye Cuba, La Española, Jamaica y Puerto Rico (las Antillas Mayores), y otra que incluye un amplio arco de islas más pequeñas hacia el sudeste y el sur (las Antillas Menores). *Véase también* **Antillas Menores**. Pág. 20.

antología: libro u otra colección de obras seleccionadas de varios autores, por lo general en la misma forma literaria, del mismo periodo o sobre el mismo tema. Pág. 100.

antro: local, establecimiento, vivienda, etc., de mal aspecto o reputación. Pág. 31.

arca: lugar en el que se guarda el dinero que pertenece a una colectividad. Por extensión también se usa para referirse a los suministros o reservas monetarias que le pertenecen. Pág. 29.

Archbold: Richard Archbold (1907–1976), explorador estadounidense. Durante la década de 1930, Archbold financió y condujo exploraciones a Nueva Guinea. En un vuelo durante una expedición en 1938 ubicó una gran población de personas que aun vivían en la edad de piedra y que habitaban en un valle remoto. Hasta ese momento, este pueblo, los dani, habían estado completamente aislados y sin ningún contacto con el resto del mundo. Pág. 99.

Archivos Nacionales: agencia del gobierno de los Estados Unidos que tiene el propósito de seleccionar y preservar registros gubernamentales de valor histórico y hacer que estén disponibles para el gobierno federal y para el público. Pág. 10.

arena negra: arena de color oscuro debido a una alta concentración de metales pesados como el hierro. La arena negra también puede contener oro, puesto que el oro también es un metal pesado, pero separar las partículas minúsculas de oro de la arena negra es un proceso que consume bastante tiempo. Pág. 36.

Argosy: revista de ficción estadounidense publicada por la compañía Frank A. Munsey y producida por primera vez a finales del siglo XIX. *Argosy* contenía ciencia ficción, fantasía y otros géneros, y contaba con algunos de los mejores escritores de aventuras del siglo XX. (La palabra *argosy* significaba en un principio un gran buque mercante y en sentido figurado llegó a significar una rica y abundante reserva o suministro de algo). Pág. 49.

arrastrero: buque comercial pesquero utilizado en la pesca *de arrastre,* en la que se usa una gran red parecida a una bolsa que se arrastra en el fondo del mar detrás del barco. Pág. 120.

Arrow Sport: pequeño biplano (avión que tiene dos juegos de alas en dos planos paralelos, uno encima del otro) construido durante los años veinte y treinta por la compañía de aviación y de motores Arrow de Nebraska. El Arrow Sport estaba equipado con asientos contiguos en una cabina abierta dotada de mandos duales. Tenía una velocidad máxima de 169 kilómetros por hora y una capacidad de volar 450 kilómetros sin reponer combustible. Pág. 69.

Asherat: diosa prominente del Oriente Medio, se le considera la madre de los dioses y del mar, por lo tanto, también como la guardiana de los marineros. Pág. 124.

Atlas: gran cordillera que se extiende 2,500 kilómetros a través de tres países del noroeste africano: Marruecos, Argelia y Tunicia. Pág. 112.

Au: (como aparece en el mapa) símbolo del elemento oro. De la palabra latina *aurum*. Pág. 32.

audaz: osado, atrevido. Pág. 19.

Audiencia del Congreso: sesión que lleva a cabo un comité del Congreso para reunir información. El *Congreso* es un grupo de políticos elegidos cuya responsabilidad es crear leyes para Estados Unidos. En esas audiencias los congresistas escuchan testimonios de personas como oficiales del gobierno, expertos y representantes de las personas que resultan afectadas por las leyes que se proponen y se están estudiando. La información reunida en esas audiencias forma la base de los informes del comité o de la legislación. Pág. 84.

avión de caza: avión de combate diseñado para perseguir y atacar a aviones enemigos. Pág. 84.

azafrán: especia de color amarillo-anaranjado que se usa para dar sabor y color a la comida. Pág. 112.

B

Baltimore: ciudad al norte de Maryland, un estado en el este de Estados Unidos. Pág. 10.

bandera de socorro: bandera que se iza en un barco para mostrar que está en peligro o en dificultades y necesita ayuda. Se usa en sentido figurado. Pág. 25.

bandera del Club de Exploradores: bandera que se otorga a los miembros activos del Club de Exploradores que están al mando o al servicio de expediciones cuyo propósito es fomentar la exploración en el campo de la ciencia. Desde 1918 la bandera del Club de Exploradores se ha llevado a cientos de expediciones, tanto al Polo Norte como al Polo Sur, a la cumbre del Everest y a la superficie de la Luna. Muchas personas famosas de la historia han llevado la bandera del Club de Exploradores, incluyendo a L. Ronald Hubbard. Pág. 100.

barracuda: un pez de mar largo con dientes filosos que vive en aguas de zonas cálidas. Pág. 21.

Barrio del Carmen: distrito de la ciudad de Guayama en la parte sudeste de Puerto Rico. Pág. 45.

batea: en minería, un recipiente abierto para lavar oro, estaño, etc., que se encuentra en el mineral. Pág. 31.

Beallsville: ciudad en el centro de Maryland, un estado en la zona este de los Estados Unidos, en la costa del Atlántico. Pág. 47.

Bermudas: un grupo de islas en el Atlántico del norte, 935 kilómetros al este de Carolina del Norte. Las Bermudas son una colonia autónoma del Reino Unido y un popular destino turístico. Pág. 17.

biplano: un avión con dos juegos de alas, uno por encima del otro. Pág. 54.

Boas, Franz: (1858-1942) antropólogo estadounidense de origen alemán que destacó la importancia de la investigación directa (estudiar a un pueblo, viviendo entre sus miembros) en el estudio de las culturas humanas. Muchas de sus teorías se basaban en sus investigaciones en los pueblos nativos de la zona noroeste de América del Norte, en la costa del Pacífico. Pág. 100.

bobina: dispositivo que consta de alambre enrollado en espirales; se usa en un motor de combustión interna (como el de los autos) para aumentar la fuerza eléctrica proveniente de la batería. La bobina toma una fuerza eléctrica relativamente baja y la aumenta hasta la fuerza extraordinariamente alta que se necesita para que se produzca una chispa en la bujía. Esta chispa es la que enciende el combustible, haciendo que funcione el motor. Pág. 107.

bonanza: un depósito extremadamente valioso de minerales; algo que da mucha riqueza, tal como una veta o depósito lleno de metal. Pág. 29.

borde de ataque del ala: borde frontal del ala de un avión; se refiere de manera específica a una sola ala montada encima del fuselaje del planeador. El piloto iba sentado en una cabina abierta y el ala estaba justamente detrás y encima de la cabina. Pág. 54.

braza: unidad de longitud que equivale a 1.8 metros, se utiliza principalmente en mediciones náuticas. Pág. 106.

británico: persona nacida o criada en Gran Bretaña o que es ciudadana de la Gran Bretaña. Pág. 35.

bucanero(s): cualquiera de los piratas que saquearon las colonias y barcos españoles a los largo de la costa de América en la segunda mitad del siglo XVII. Pág. 25.

bullicioso: lleno de vigoroso entusiasmo y energía. Pág. 7.

Butte: ciudad y centro minero del sudoeste de Montana. Pág. 43.

C

caballero aéreo: un piloto de la fuerza área que entra en combate con otros pilotos, similar a los caballeros de la Edad Media. Pág. 69.

caballero andante: alguien que va de un lugar a otro, sin tener un curso o destino en particular, y sin permanecer en algún lugar por mucho tiempo. Pág. 26.

cabaret: restaurante o club nocturno con programas breves de entretenimiento en vivo. Pág. 43.

cables de alta tensión: líneas de energía eléctrica diseñadas para transportar grandes cantidades de tensión, generalmente se encuentran lejos del contacto con la tierra; se cuelgan en una serie de postes, uno tras otro. Pág. 70.

Cabo Orlando: punto en la costa norte de Sicilia, cerca del extremo oriental de la isla. Pág. 122.

cacharro: se refiere a un avión viejo, deteriorado o que funciona mal. Pág. 60.

caer ante lo desconocido: quedar arruinado o derrotado al enfrentarse a algo extraño o desconocido, algo sobre lo que uno no sabe nada. Pág. 1.

cálculo: forma de matemáticas que se usa para hacer cálculos relacionados con cosas en estado de cambio. En el cálculo pueden medirse formas irregulares o puede determinarse la velocidad de un cohete en aceleración. Pág. 10.

Calle 72: en la ciudad de Nueva York, la sede original del Club de Exploradores, que ahora se encuentra a unas calles de distancia en la calle 70, entre Park Avenue y Madison Avenue. Esta sección de Nueva York, conocida como Upper East Side (Lado Superior del Este), es una de las áreas de mayor prestigio de la ciudad. Pág. 99.

camaradería: sentimiento de amistad y confianza íntimas en un grupo de personas. Pág. 1.

canal de lavado: en minería, un largo canal inclinado con ranuras en el fondo a los que se dirige el agua para separar el oro de la grava o la arena. Pág. 33.

cantonés: de Cantón (ciudad en el sur de China) o relacionado con sus pobladores, su lenguaje y su cultura. Pág. 9.

carburador: pieza en el motor de combustión interna que mezcla la gasolina líquida y el aire en las proporciones correctas, las vaporiza (las convierte en un suave vaho) y transfiere la mezcla al motor, donde explota para proporcionar potencia. Pág. 107.

caribe, indio del: miembro de un pueblo indígena que antaño dominó las Antillas Menores, y que ahora se encuentran en número reducido en unas cuantas áreas de las Antillas y en zonas de América Central y el noreste de Sudamérica. Pág. 38.

cartaginés: de *Cartago,* una poderosa ciudad de la antigüedad en la costa del norte de África, cerca del actual Túnez, capital de Tunicia. La ciudad se fundó en el siglo IX A. C. En el año 146 A. C., tras una serie de guerras con Roma, Cartago fue destruida y su territorio fue ocupado por los romanos. Pág. 122.

Cascadas: también la *Cordillera de Cascadas,* una cadena montañosa en el noroeste de Estados Unidos y en el suroeste de Canadá que se encuentra de 160 a 240 kilómetros al interior de la costa del Pacífico. El nombre de la cordillera hace referencia a las numerosas cataratas pequeñas y empinadas que se encuentran en una sección de la cadena. La montaña más alta de las Cascadas es el Monte Rainier, de 4,392 metros y ubicado en el centro de la zona oeste del estado de Washington. Pág. 4.

Castellammare: ciudad en la costa noroeste de la isla de Sicilia, su nombre completo es Castellammare del Golfo. Está ubicado en el Golfo de Castellammare, aproximadamente a 80 kilómetros de Palermo, la ciudad más grande de Sicilia. Pág. 122.

cazuela de lamprea: guiso u otro plato caldoso que consiste en *lamprea,* un pescado de cuerpo similar al de una anguila y que por lo general se cuece al horno con arroz, patatas o macarrones. Pág. 110.

Cerdeña: isla de Italia en el mar Mediterráneo, la segunda isla más grande después de Sicilia. Pág. 114.

chamán: entre los pueblos nativos de Norte América, alguien que cree tener poderes sobrenaturales para curar enfermedades y controlar a los espíritus. Pág. 2.

Chesapeake, bahía: brazo largo y estrecho del Océano Atlántico que va al norte desde la costa del estado de Virginia, EE.UU., y que divide al estado de Maryland en dos partes. Tiene 320 kilómetros de longitud y de 6 a 64 kilómetros de anchura. Pág. 14.

choua: un plato de carne originario de Marruecos que se hace con cordero y se cocina al vapor. Pág. 112.

Cinco Novelas Cada Mes: revista de pulp publicada de 1928 hasta finales de la década de los 40. La programación mensual se mantuvo hasta 1943, cuando la escasez de papel durante la Segunda Guerra Mundial (1939–1945), la obligó a publicarse cada tres meses, resultando en un cambio de nombre a la revista *Five Novels (Cinco Novelas).* Pág. 54.

cinematográfico: el arte y técnica de iluminación para tomar fotografías y hacer películas. Pág. 17.

Club de Exploradores: organización, cuya sede central está en Nueva York y que fue fundada en 1904; se dedica exclusivamente a promover la ciencia de la exploración. Para apoyar este propósito, proporciona subvenciones para aquellos que desean participar en proyectos y expediciones de investigación. Ha proporcionado apoyo logístico a algunas de las expediciones más audaces del siglo XX. L. Ronald Hubbard fue miembro del Club de Exploradores. Pág. 10.

College Park: pueblo cerca de Washington, D.C., establecido en 1745. La escuela de aviación del ejército de EE.UU. fue establecida en el Campo Aéreo de College Park en 1911 con el pionero aéreo Wilbur Wright

(1867–1912) como instructor. El histórico aeropuerto es el más viejo del mundo que aún sigue en funcionamiento. Pág. 50.

Colón: Cristóbal Colón (1451–1506), explorador italiano que cruzó el Océano Atlántico en busca de una ruta marítima a Asia. Fue el responsable por el descubrimiento europeo de América en 1492. Pág. 29.

Columbia Británica: provincia en el oeste de Canadá que linda con la costa del Océano Pacífico. Pág. 10.

Columbia Pictures: estudio de películas que se estableció en Hollywood, California, durante los años 20 y se convirtió en una de las compañías de filmación más grandes de Estados Unidos. Pág. 91.

cometa en forma de caja: literalmente, un papalote sin cola, que consta de dos cajas abiertas y unidas por palos delgados. Se utiliza aquí en sentido figurado para referirse a un planeador. Pág. 60.

comino: hierba pequeña natural de la región del Mediterráneo, cultivada por sus pequeñas semillas, que tienen un sabor fuerte y picante. Pág. 112.

compañerismo: cualidad de estar unidos por algún rasgo, característica o interés común; propensos a estar juntos como un grupo o familia unida. Pág. 1.

conquistador: conquistador español de México y Perú en el siglo XVI. Pág. 29.

consumado: muy hábil; completo. Pág. 113.

Coolidge, Calvin: (1872-1933) trigésimo presidente de Estados Unidos (1923-1929). Pág. 4.

cornamusa: pieza de madera o metal, que normalmente tiene dos cuernos encorvados, donde se asegura una cuerda. Pág. 107.

Corozal: pueblo en la parte central norte de Puerto Rico. Pág. 29.

corpiño: un tipo de chaleco ajustado. Pág. 43.

coyote: animal salvaje de la familia del perro, nativo de Norteamérica que se distingue del lobo por su tamaño relativamente pequeño y su constitución delgada, largas orejas y hocico estrecho. Pág. 2.

criar malvas: estar muerto o enterrado y sirviendo de abono a las malvas. Las malvas son flores color violeta. Pág. 61.

crónicas: registros históricos de carácter general. Pág. 10.

cuarteto: literalmente un grupo de cuatro cantantes o músicos. Se usa en sentido figurado para describir algo que suena como un cuarteto de ametralladoras. Pág. 77.

cuarzo: mineral brillante y cristalino que a menudo se encuentra cerca del oro. Pág. 38.

cuerda de piano: tipo especial de cable de acero fuerte que se utiliza en las cuerdas de los pianos. Pág. 53.

Cuerpo Aéreo: cuerpo de combate aéreo que estuvo bajo el control del ejército de Estados Unidos de 1926 a 1941. Después de diversas reorganizaciones, este cuerpo se convirtió en la Fuerza Aérea de EE.UU. en 1947. Pág. 84.

Cuerpo de Marina: rama de las Fuerzas Armadas de los Estados Unidos que está entrenada para el combate terrestre, marítimo y aéreo, típicamente desembarcando, o lanzándose en paracaídas junto a una zona de combate. Pág. 54.

culi: trabajador no calificado, especialmente en el pasado en China o India. Pág. 36.

cúter: un barco con un solo mástil y una gran vela triangular, a menudo con una o más velas triangulares juntas o colocadas en el mástil. Pág. 106.

D

D.: (como aparece en el mapa) abreviatura de *drift* un pozo de mina horizontal o prácticamente horizontal que sigue la veta de metal. Por ejemplo, el mapa del Drift No. 3 incluye el letrero *D. 4*. Esto indica la entrada a un pozo adyacente. Pág. 32.

Departamento de Comercio: departamento del gobierno de Estados Unidos establecido en 1903 con el propósito de promover el desarrollo y avance de la economía y tecnología de la Nación. En 1926 el departamento incluyó una rama de Aeronáutica, que era responsable por la reglamentación de los aeropuertos, las reglas de aviación, el tráfico del aire, el estándar para la aviación y de otorgar licencias, incluyendo las licencias para pilotos. Pág. 54.

descompresión: condición que se caracteriza por dolor en las articulaciones, náuseas, pérdida de movimiento y dificultad para respirar, que experimentan los buzos que salen demasiado rápido de un ambiente presurizado, como aguas profundas. La causa la formación de burbujas de nitrógeno en la sangre y en los tejidos. Pág. 49.

Dianética: Dianética es una precursora y subestudio de Scientology. Dianética significa "a través de la mente" o "a través del alma" (del griego *dia,* a través y *nous,* mente o alma). Es un sistema de axiomas coordinados que resuelve problemas acerca del comportamiento humano y de las enfermedades psicosomáticas. Combina una técnica funcional y un método minuciosamente validado para aumentar la cordura al borrar sensaciones indeseadas y emociones desagradables. Pág. 8.

Diario del Club de Exploradores: un periódico trimestral publicado desde 1921 por el Club de Exploradores. El *Diario* del Club publica artículos y fotografías de sus miembros y de otras personas que hacen expediciones alrededor del mundo. Pág. 117.

dinamita al 60%: la *dinamita* es un explosivo que está hecho a base de *nitroglicerina,* una sustancia aceitosa que es muy explosiva y muy sensible a los movimientos rápidos o a los golpes y la fricción. Para minimizar la sensibilidad y el peligro, la nitroglicerina se mezcla con una sustancia absorbente, como el aserrín para hacer que sea más seguro manejarla. La dinamita al 60% contiene 60% de nitroglicerina y 40% de sustancia absorbente. Pág. 95.

dinamitero: el encargado de colocar y hacer explotar las dinamitas. Pág. 92.

du Pont, Dick: Richard Chichester du Pont (1911-1943) empresario y aviador estadounidense, que fue uno de los primeros entusiastas de los planeadores. Pág. 57.

Eagle Scout: scout de mayor rango, scout que ha alcanzado el nivel más alto en varias pruebas de destreza y resistencia. Los *scouts* son una organización mundial fundada en Inglaterra en 1908, que enseña a los niños a ser autosuficientes, a valerse por sí mismos y a tener valor. Pág. 4.

elemento, a su: en la situación o el medio ambiente más adecuado para el avión, es decir, el aire. Pág. 77.

escala: lugar en el que un barco o un avión hacen una parada en su trayecto. Pág. 17.

encarnación: cada una de una serie de vidas o formas en la Tierra. Pág. 118.

encuentro aéreo: reunión de personas que participan u observan actividades deportivas aéreas. La palabra *encuentro* significa un grupo de personas que compiten en eventos deportivos. Los encuentros aéreos incluyen actividades como carreras aéreas y *acrobacias,* competencias de velocidad, altitud, etc., que han sido populares desde principios del siglo XX, cuando se inventó el avión. Pág. 54.

enésimo: se refiere a un número de gran magnitud pero no se especifica. Pág. 70.

ensenada: entrante del mar en la tierra, que forma un abrigo natural para las embarcaciones. Pág. 100.

epigrámico: que tiene o que muestra un *epigrama,* un refrán o un comentario concisos. Pág. 57.

equipaje: maletas o pertenencias personales. Pág. 25.

escalofríos: sensación de frío, generalmente repentina, acompañada de contracciones musculares, y producida por la fiebre o por el miedo. Pág. 69.

escorar: inclinación de un barco hacia un lado. Pág. 107.

escotilla: la tapa en una abertura en una cubierta que lleva a una zona más baja. Pág. 107.

Escuadrilla Lafayette: grupo de voluntarios estadounidenses que durante la Primera Guerra Mundial volaron con la fuerza aérea francesa desde 1915 a 1917. *Lafayette* se refiere al Marqués de Lafayette (1757–1834), noble y líder militar francés, que se recuerda como un héroe por su ayuda en la consecución de la independencia de Estados Unidos. Combatió por Estados Unidos durante la Guerra de Independencia (1775–1783), desempeñando altos puestos en el ejército y trabajando en estrecho contacto con George Washington. Pág. 69.

espiritismo: comunicación con los espíritus. Pág. 28.

estancia: permanencia durante cierto tiempo en un lugar determinado. Pág. 32.

estandarte: bandera que usan algunos cuerpos militares en la cual se bordan los signos propios de cada cuerpo. Pág. 131.

estofado: platillo cocinado a fuego lento con un poquito de grasa y líquido en un recipiente cerrado (con fuego de leña arriba y abajo). Pág. 113.

estrecho: un cuerpo estrecho de agua entre dos masas de tierra, lo cual crea una ruta o canal para que naveguen los barcos. Pág. 106.

Estrecho de Puget: bahía larga y estrecha del Océano Pacífico en la costa de Washington, un estado al noroeste de Estados Unidos. Pág. 92.

Estrecho de Vieques: el canal entre Puerto Rico y Vieques, pequeña isla al este de Puerto Rico. Pág. 20.

estribo: pequeño escalón, que anteriormente se encontraba debajo de las puertas de un automóvil para ayudar a los pasajeros a entrar o salir del coche. Pág. 77.

estribor: el lado a la derecha de un barco o buque cuando se le mira de frente. Pág. 106.

etnológico: de o que tiene que ver con la *etnología,* ciencia que analiza las culturas, especialmente en cuanto a su desarrollo histórico y las similitudes y diferencias entre ellas. Pág. 28.

etnólogo: persona entrenada y especializada en la etnología. *Véase también* **etnológico.** Pág. 100.

expedición a Alaska: la *Expedición Experimental de Radio a Alaska,* un viaje de 2400 kilómetros hecho para conseguir información para corregir los mapas de la costa entre las playas del noroeste del territorio continental de Estados Unidos y la parte Sur de Alaska. La expedición tuvo como resultado fotografías e información para corregir los anteriores mapas erróneos de la costa. Pág. 10.

Fairmile clase "B", lancha a motor: bote patrulla de la Segunda Guerra Mundial (1939-1945) utilizado para proteger a la navegación de cabotaje (navegación o tráfico marítimo entre los puertos de una misma nación sin perder de vista la costa) y vías fluviales contra amenazas submarinas, al igual que en operaciones de escolta y rescate. El bote medía aproximadamente treinta metros y medio y estaba diseñado de tal modo que pudiera ser reconfigurado para desempeñar diferentes funciones. Pág. 120.

faja de Alaska: parte del estado de Alaska que se extiende por la costa del Pacífico, al sur de la parte principal del estado. Pág. 100.

fenicio: relativo o perteneciente a *Fenicia,* antiguo reino al extremo oriental del Mar Mediterráneo, en la región donde actualmente se encuentran Líbano, Siria e Israel. Pág. 122.

Fez: la tercera ciudad más grande de Marruecos. Fundada a finales del siglo VI; durante siglos ha sido un centro de educación, cultura y religión. Pág. 111.

filón: veta de metal valioso, como el oro, la plata u otros similares, en su estado natural. Pág. 28.

foque: principal vela triangular de un buque. Pág. 21.

Ford Modelo A: modelo de automóvil presentado por la Ford Motor Company en 1927 para reemplazar al antiguo Modelo T. Este Modelo A era más potente que el Modelo T y se produjo en diferentes estilos y en una gran selección de colores. La compañía Ford produjo medio millón de Modelos A, hasta que dejó de fabricarlos a principios de la década de 1930. Pág. 61.

Ford Modelo T: automóvil fabricado por la Ford Motor Company, considerado como el primer vehículo motorizado que se produjo con éxito de forma masiva en una cadena de montaje. Estos vehículos se produjeron entre 1908 y 1927. Pág. 4.

Fort-de-France: la ciudad más grande de la isla de Martinica y su capital desde finales del siglo XVII. Fort-de-France está ubicada en una amplia bahía en el suroeste de la isla. Pág. 20.

Franklin PS2: planeador diseñado por el Profesor R.E. Franklin de la Universidad de Michigan y construido en 1929. *PS2* es la abreviatura de "Primario y Secundario también", lo que indica que podían usarse alas primarias o las alas secundarias que eran más largas, intercambiándolas. *Véase también* **planeador primario** y **planeador secundario.** Pág. 53.

frontera canadiense perdida, la: referencia a un equipo de la Agencia de Recursos Naturales de Estados Unidos en 1931 del cual L. Ronald Hubbard fue miembro. El equipo se utilizó para localizar daños o destrucción de los hitos fronterizos entre Estados Unidos y Canadá en el estado nororiental de Maine a fin de establecer el límite geográfico de los Estados Unidos. Pág. 10.

fuente de la eterna juventud: leyenda de un manantial que supuestamente rejuvenecía a la gente. Los primeros colonizadores españoles que llegaron al Caribe creían que la fuente estaba situada en una isla que, en el 1513, el explorador español Juan Ponce de León decidió descubrir. Durante su travesía descubrió Florida, la cual desde entonces ha estado ligada a la fuente imaginaria. Pág. 42.

fulminante: dispositivo que cuando se golpea o se prende causa que la pólvora o carga explosiva prenda fuego y reviente. Pág. 94.

galeón: velero de tres mástiles grandes, usado especialmente por los españoles entre los siglos XV y XVIII. Pág. 42.

ganga: roca sin valor o cualquier otro material que se encuentra en una veta o depósito dentro o al lado de un mineral valioso. Pág. 44.

gavia: una vela colocada justo encima de la vela más baja en un mástil. Pág. 21.

gesticular: utilizar o hacer gestos, especialmente con animación o entusiasmo, para acompañar lo que se dice, o para sustituirlo. Pág. 38.

Gobi: desierto en el norte de China y el sur de Mongolia. El desierto de Gobi (del mongol *Gobi,* que significa "lugar sin agua") es el desierto más frío del mundo y uno de los de mayor extensión. Pág. 100.

Goldwater, Barry: (1909-1998) político estadounidense, senador de Arizona, Estados Unidos (1953-1965, 1969-1987) y candidato republicano a la presidencia en 1964. Goldwater fue célebre como conservador por sus firmes puntos de vista contra el comunismo y por su énfasis en conservar la fuerza militar de Estados Unidos. Pág. 110.

goleta: buque de vela con las velas dispuestas longitudinalmente (las velas de proa y de popa) y teniendo desde dos hasta siete mástiles. Pág. 8.

Golfo de Adén: gran extensión de agua que pasa a lo largo de la costa sur de Yemen, donde se encuentra la ciudad de Adén, al sur de Arabia Saudita. Pág. 120.

Gran Depresión: drástico declive en el mundo de la economía que comenzó en EE.UU. y que ocasionó gran desempleo y una extensa pobreza que duró de 1929 hasta 1939. Pág. 17.

greco-romano: que tiene características que son en parte de la antigua Grecia y en parte de la antigua Roma; en concreto, que tiene características de la arquitectura o el arte de Roma que se produjo bajo una fuerte influencia griega. Pág. 114.

Guam: isla en el noroeste del Océano Pacífico, territorio de Estados Unidos y sitio de emplazamiento de bases aéreas y navales del mismo país. Pág. 1.

Guardia Nacional: en Estados Unidos, las fuerzas militares de los estados, que pueden ser llamadas a servicio activo en emergencias, para la defensa nacional, como fuerza policial o en situaciones similares. Pág. 8.

guarida: refugio o lugar oculto al que acude una persona para librarse de un daño o peligro. Pág. 17.

H

haida: pueblo indígena norteamericano que vive a lo largo de la costa de la Columbia Británica en Canadá, la costa adyacente de Alaska y las islas próximas a dichas áreas. Pág. 100.

Hammonds y Joplins, los: aquellos como John Hammond y Harris Joplin, célebres ingenieros de la minería estadounidenses de finales del siglo XIX y principios del XX. Pág. 31.

Hartford, Connecticut: capital del estado de Connecticut, un estado en el noreste de Estados Unidos. Pág. 26.

Hartford, Liga de Transmisión Radiofónica de: organización de operadores de radio aficionados, fundada en 1914 en Hartford, Connecticut. Teniendo operadores de radio aficionados en diferentes partes de Estados Unidos, la Liga podía transmitir mensajes por retransmisión de un miembro a otro. Posteriormente, la liga se convirtió en la mayor organización de radioaficionados en Estados Unidos. Pág. 26.

Hawks, Frank: (1897–1938) pionero de la aviación que estableció numerosos récords de velocidad, tales como su vuelo transcontinental de 1930 desde Los Ángeles hasta Nueva York que tuvo una duración de 12 horas y 25 minutos. Pág. 53.

Henry, O.: seudónimo de William Sydney Porter (1862–1910), escritor estadounidense de cuentos, reconocido por sus giros de trama inesperados que llevan a un final sorprendente. Pág. 47.

hermano de sangre: cualquiera de dos hombres o muchachos que han jurado amistad mutua, por lo general en un ritual o ceremonia que se lleva a cabo haciendo un corte superficial en la piel y mezclándose la sangre mutuamente. Pág. 2.

Hillary, Edmund: Edmund Percival Hillary (1919–2008) escaló las montañas en Nueva Zelandia y fue uno de los primeros dos exploradores que llegó a la cima del Everest, la montaña más alta del mundo. El 29 de mayo de 1953, él y Tensig Norgay ascendieron 8,850 metros para alcanzar la cima. Pág. 100.

Huron, Puerto: ciudad y puerto en el extremo meridional del Lago Huron en el sudeste de Michigan, estado en el norte de la zona central de Estados Unidos. Pág. 17.

iguana: gran lagarto tropical que come plantas; se le encuentra principalmente en América Central y América del Sur. Pág. 110.

Ilíada: uno de los poemas griegos más antiguos que se han conservado, que se remonta al siglo VIII A. C. La *Ilíada* describe ciertos sucesos durante el último año de la Guerra de Troya, que se libró entre Grecia y la ciudad de Troya, una guerra que, según la leyenda, acabó con la derrota de Troya por parte de los griegos. Muchos historiadores creen que la leyenda se basa en una guerra auténtica que ocurrió a mediados del siglo XIII a. C. Pág. 118.

ilusorio: que tiene cualidades de *ilusión* como cuando se cree que algo es irreal, imaginario o algo similar. Pág. 29.

Imperio Romano: imperio de la antigua Roma que en su apogeo incluía a la Europa occidental y meridional, Gran Bretaña, el norte de África y los territorios al este del Mar Mediterráneo, duró desde el año 27 a. C. hasta el año 476 d. C. cuando cayó en manos de tribus invasoras germánicas. Pág. 124.

inca: nativo de Sudamérica cuyo imperio prosperó desde el siglo XII a. C. hasta mediados del siglo XVI. Pág. 42.

indolente: que se caracteriza por evitar el trabajo o tenerle aversión; ocioso; perezoso. Pág. 32.

indumentaria: conjunto de algo tal como ropa, equipo o cosas similares. Pág. 25.

infantería de marina, vigésimo regimiento de: unidad de reserva de la infantería de marina. Pág. 10.

ingeniero civil: persona que diseña estructuras públicas como carreteras, puentes, canales, presas y puertos o supervisa su construcción o mantenimiento. Pág. 10.

Instituto de Investigación de Stanford: una organización de investigación, independiente y no lucrativa ubicada en Menlo Park, California. Fue fundada en 1946, y en un principio tenía vínculos con la universidad de Stanford (instituto de educación superior, fundado en 1885 y ubicado en Stanford, California). Pág. 128.

ironía: combinación de circunstancias o resultado que se opone a lo que podría esperarse. Pág. 100.

Islas Canarias: grupo de islas españolas en el Océano Atlántico ubicadas al sudoeste de España y a unos 97 kilómetros de la costa noroccidental del continente africano. Pág. 122.

Islas Kuriles: cadena de cincuenta y seis islas volcánicas, grandes y pequeñas, que se extiende desde la costa noreste de Asia. Se encuentran desde el norte del Japón hasta una península meridional de Rusia. Pág. 100.

Jamaica: nación insular en el Mar Caribe, a unos 772 kilómetros al sur de la Florida. Un popular destino turístico, Jamaica es la tercera isla más grande en el Caribe. El país se independizó en 1962, después de haber sido colonia de Gran Bretaña desde finales del siglo XVII. Pág. 17.

jíbaro: persona del área rural de Puerto Rico. Pág. 28.

Kentland: un pueblo en Illinois, estado de la parte centro-norte de Estados Unidos. Pág. 77.

kimono volador: referencia humorística a un planeador, construido principalmente de madera y tela, con sus alas parecidas a un *kimono,* prenda de vestir japonesa que llega al suelo y que tiene mangas anchas. Pág. 61.

L

lamaserías: monasterios de los *lamas,* sacerdotes o monjes de una rama del budismo que se practica en ciertas áreas de China. Pág. 8.

Las Palmas: puerto marítimo y capital de las Islas Canarias, ubicado en la isla de Gran Canaria. *Véase también* **Islas Canarias.** Pág. 122.

latitud: distancia que hay desde un punto de la superficie terrestre al ecuador, contada por los grados de su meridiano (círculo de la esfera terrestre que va de polo a polo). Pág. 28.

LeBlond: un motor de avión construido por LeBlond Motores de Cincinnati, Ohio, se usó en aviones pequeños en las décadas de 1920 y 1930 y tenía capacidad para producir 60 caballos de fuerza. Pág. 69.

legua: antigua medida de distancia cuya longitud es variable, generalmente es de 5 kilómetros. Pág. 20.

ley de Newton, la: referencia a la ley de la gravedad, del matemático Sir Isaac Newton (1642-1727), que establece que una masa que cae aumenta su velocidad a medida que avanza hacia la Tierra. Pág. 62.

liga: asociación de personas, grupos o similares, con intereses o metas comunes, que se relacionan para apoyarse mutuamente. Pág. 26.

Lindbergh: Charles Augustus Lindbergh (1902–1974) aviador e ingeniero estadounidense, célebre por ser la primera persona que realizó solo un vuelo sin escalas cruzando el Atlántico. Pág. 53.

línea temporal completa: el registro, momento a momento, de la existencia de una persona en este universo en forma de impresiones e imágenes. Pág. 120.

lingote: oro en forma de barras. Pág. 29.

Livingstone: David Livingstone (1813-1873), misionero y médico escocés que exploró el África meridional y central. Pág. 117.

Long Table: la famosa mesa en el Club de Exploradores de Nueva York donde los miembros se han sentado tradicionalmente para entretenerse contando las historias de sus aventuras. *Véase también* **Club de Exploradores.** Pág. 103.

longitud: la distancia medida en grados de ángulo de un punto sobre la superficie de la Tierra al Este o al Oeste de una línea que va desde el Polo Norte al Polo Sur a través de Greenwich, en Inglaterra. Un círculo (la Tierra) tiene 360 grados, líneas de longitud que van desde 0 (la línea a través de Greenwich) hasta 180 grados este y desde 0 (la línea a través de Greenwich) hasta 180 grados Oeste. Junto a la latitud, la longitud se usa para determinar la ubicación.

LORAN: sistema mediante el cual puede determinarse la posición de un buque o un avión por el intervalo de tiempo entre las señales de radio que se reciben desde dos o más estaciones conocidas. El término viene de *LO*ng *RA*nge *N*avigation (Navegación de Largo Alcance). Pág. 100.

M

Mac: apodo que se usa para alguien cuyo apellido empieza con Mc o Mac, como en MacBride. Pág. 43.

machete: cuchillo grande y fuerte que sirve para eliminar la maleza, para cortar la caña de azúcar y como arma. Pág. 37.

magnetos: alternadores pequeños (dispositivos que generan corriente alterna) que utilizan imanes permanentes para generar una chispa en un motor de combustión interna, especialmente en los motores de los barcos y las aeronaves. Pág. 77.

Maine: estado que se localiza en el extremo norte de la costa este de Estados Unidos. Pág. 10.

manganeso: elemento metálico, duro, quebradizo, de color blanco-grisáceo, usado principalmente en el acero para darle dureza. Pág. 28.

Mann, Bill: William M. Mann (1886-1960), director del zoológico nacional en Washington, D.C. Durante sus treinta años como director del zoológico nacional (1925-1955), Mann fue responsable de construir y expandir las instalaciones del zoológico al mismo tiempo que viajaba a lugares lejanos en busca de animales que añadir a la colección. Pág. 103.

manual de navegación: libro para marineros publicado por el gobierno que contiene descripciones de aguas costeras, instalaciones portuarias, etc., para un área específica. Pág. 10.

Mar del Norte: brazo del Océano Atlántico que se encuentra entre la costa este de Gran Bretaña y el continente europeo. Pág. 120.

Mar Rojo: mar entre el noreste de África y Arabia occidental. Pág. 120.

Mares del Sur: nombre que daban los primeros exploradores a la totalidad del Océano Pacífico. Se utiliza generalmente para las islas del Pacífico Central y Sur. Pág. 43.

marinero de agua dulce: término para una persona que ha tenido poca experiencia en el mar o alguien que no está familiarizado con el mar o con la navegación marítima. Pág. 26.

Martinica: isla de las Antillas (grupo de islas en el Océano Atlántico entre Norteamérica y Sudamérica). Fue colonizada por inmigrantes franceses después de 1635. Pág. 17.

Maryland: estado en el este de Estados Unidos en la costa atlántica, que rodea a Washington, D.C., en todos sus lados menos en uno. Pág. 25.

Medio Oeste: región norte de la zona central de Estados Unidos al este de las Montañas Rocosas. La zona es conocida por sus ricas tierras agrícolas. Pág. 73.

mejorana: tipo de menta fragante y aromática que se usa como condimento culinario. Pág. 111.

"metal áureo": término que se usa para describir al oro. Pág. 28.

metralla: conjunto de pequeños pedazos de metal con que se cargan ciertos proyectiles, bombas o artefactos explosivos. Pág. 62.

metro cúbico: la cantidad contenida en un espacio de un metro de ancho por un metro de largo y metro de alto. Pág. 35.

Michigan: estado en el centro norte de Estados Unidos. Pág. 17.

mirador del timonel: estructura cerrada en la cubierta de un barco que contiene equipo de navegación, cartas y cosas similares y desde donde se puede navegar un barco. Pág. 106.

Mitchell, Edgar: Edgar Dean Mitchell (1930-), astronauta estadounidense, miembro de la misión del *Apollo 14* (enero-febrero de 1971) y la sexta persona en caminar sobre la Luna. Mitchell se retiró del programa espacial en 1972. Interesado en la parapsicología, fundó el instituto de Ciencias Noéticas (conocimiento interior) en Palo Alto, California. Pág. 118.

Montana: estado en el noroeste de Estados Unidos, que hace frontera al norte con Canadá. Pág. 2.

Montañas Rocosas: gran cordillera al oeste de Norte América, que se extiende aproximadamente 4,800 kilómetros a lo largo de EE.UU. y Canadá. El grosor de la cordillera varía de entre 110 y 650 kilómetros y su elevación de 1,500 a 4,399 metros en el Monte Elbert, Colorado, el punto más alto de las Rocosas. Pág. 4.

montañés: se refiere a los nativos de las regiones montañosas o a las personas que viven en ellas; con frecuencia se trata de áreas aisladas. Estos habitantes difieren marcadamente en apariencia, costumbres y lenguaje respecto a las personas de las llanuras. Aquí se usa en referencia a los *jíbaros* de Puerto Rico. Pág. 32.

montante: barras que forman parte de una estructura, diseñadas para reforzarla y sostenerla. Pág. 54.

Monte Pelée: volcán de las Antillas, en la isla de Martinica. Pág. 21.

monumento a Washington: obelisco de mármol blanco situado en Washington, D.C., dedicado a George Washington (1732-1799), primer presidente de Estados Unidos (1789-1797). Mide 169 metros de altura y es una de las estructuras de piedra más altas del mundo. Pág. 62.

mundo árabe: las regiones de Asia sudoccidental y África del Norte donde se habla el árabe. Pág. 112.

muselina: un tipo de tela, normalmente hecha de algodón. Pág. 61.

Museo Nacional: el Museo Nacional de los EE.UU., ubicado en Washington, D.C. Incluye la colección más grande sobre la historia norteamericana, tecnología e historia natural. El museo es dirigido por la *Smithsonian Institution,* un grupo de institutos científicos y culturales creados en 1846 a partir de una donación dada por el científico británico James Smithson. Pág. 23.

n

nativo: natural del lugar del que se trata. Pág. 95.

Nebraska: estado en la parte central de Estados Unidos. Pág. 2.

Negro, río: un río en Puerto Rico. Pág. 33.

Nevada: estado ubicado en la parte oeste de Estados Unidos. Pág. 2.

New London: ciudad al norte de Ohio, estado en el centro de la zona norte de Estados Unidos. Pág. 79.

New York Times: periódico publicado en la ciudad de Nueva York desde 1851 y que hoy en día se distribuye por todo el país. Pág. 23.

Newport, Indiana: un pueblo 80 kilómetros al oeste de Indianápolis, la capital de Indiana, un estado en el centro de la zona norte de Estados Unidos. Pág. 77.

nitroglicerina: compuesto químico altamente explosivo, muy sensible al impacto y que explota fácilmente si se le agita súbitamente. Pág. 49.

Nora: lugar al sur de Cerdeña, donde se encuentran ruinas antiguas de la civilización romana y de civilizaciones anteriores, algunas de las cuales se remontan al siglo VIII a. C. Pág. 118.

ocaso: el momento en que algo está en declive o acercándose a su final. Del sentido literal del *ocaso,* la hora del día justo después de la puesta de Sol (y antes de la oscuridad total) o antes del amanecer (y antes del pleno día), cuando el Sol está por debajo del horizonte. Pág. 21.

Oficina Hidrográfica: sección del Departamento de Marina de Estados Unidos que se encarga de hacer estudios hidrográficos y de publicar cartas de navegación y otro tipo de información para embarcaciones navales y comerciales, se trata de información clave para la defensa nacional. *Hidrográfico* significa relacionado con la hidrografía, parte de la geografía que se ocupa de la descripción de la parte líquida de la superficie terrestre, como mares, lagos y corrientes. Pág. 100.

Oklahoma: estado en el sur de la zona central de Estados Unidos. Pág. 2.

O'Meara, Jack: John K. (Jack) O'Meara (¿1909?-1941) uno de los mejores pilotos de planeadores de la década de 1930, bien conocido por establecer nuevos récords de vuelos en planeadores. Pág. 57.

operario de altura: persona que corta árboles muy altos, podando las ramas bajas a medida que va subiendo. *Véase también* **talador de altura.** Pág. 93.

Orientalista: una persona que estudia las culturas orientales de países como China, Japón y la India. Pág. 10.

oso Kodiak: oso de gran tamaño y de color pardo que habita en la isla Kodiak (frente a la costa suroeste de Alaska) y en las zonas costeras de Alaska y la costa oeste de Canadá. Este oso puede alcanzar una altura de 2.7 metros y un peso de aproximadamente 780 kilogramos. Pág. 100.

pagano: persona que no pertenece a una religión muy extendida (especialmente el cristianismo, el judaísmo o el islam). Los miembros de estas religiones llaman "paganos" a los otros. Pág. 41.

parachoque: barra horizontal que se coloca en la parte delantera o trasera de un vehículo motorizado que sirve para reducir el daño en un choque. *Remolcar atándolo al parachoque* significa que el planeador era jalado con una cuerda atada al parachoques trasero de un coche hasta que, teniendo la velocidad suficiente, podía comenzar a volar. Pág. 53.

parlanchín: que habla mucho o sin discreción. Pág. 31.

Pasaje Interno: canal navegable, protegido de forma natural y situado en el noroeste de Norte América, tiene una longitud de 1,500 kilómetros. Se extiende a lo largo de la costa desde Seattle, Washington, EE.UU., pasando de la Columbia Británica, Canadá, hasta la zona sur de Alaska. El pasaje está compuesto de una serie de canales que discurren entre el continente y una cadena de islas al oeste que protegen al pasaje de tormentas del Océano Pacífico. Pág. 100.

Paso de Nankou: abertura a través de la cordillera Nankou en China, a 80 kilómetros al norte de Beijing (antiguamente llamado Pekín). El paso es emplazamiento de una sección fortificada de la Gran Muralla China, bien conocida por ser el emplazamiento de batallas contra tribus invasoras. Una vía férrea que enlaza Beijing a áreas en el norte, cruza el paso y atraviesa la Gran Muralla. Pág. 10.

patíbulo: un poste recto con una viga proyectándose horizontalmente en la parte superior, sobre la cual se colgaban los cuerpos de los criminales y se les dejaba en exhibición ante público después de su ejecución. Pág. 42.

Pegasus: un motor de avión construido en Inglaterra por la Bristol Aeroplane Company. Era un motor poderoso, capaz de producir varios caballos de fuerza. *Pegasus (Pegaso)* es el nombre que se da un caballo con alas en la mitología griega. *Véase también* **Arrow Sport** y **LeBlond.** Pág. 75.

Pekín: nombre anterior de Beijing, capital de China. Pág. 8.

Pennsylvania, ferrocarril de: uno de los principales ferrocarriles americanos en la parte oriental de Estados Unidos. Pág. 25.

pérdida, entrar en: (un avión) que de pronto se está yendo en picada, por que ha perdido *ascenso,* la fuerza ascendente del aire en las alas que mantiene a la aeronave arriba mientras se mueve hacia adelante. El ascenso se puede perder cuando el avión se mueve hacia arriba (sube) en un ángulo demasiado inclinado o cuando su movimiento de avance se reduce demasiado. Pág. 57.

perforación a cable: también llamada perforación a percusión, un método de perforación petrolífera que utiliza una broca que se alza y se deja caer repetidamente mediante un cable de alzado. La fuerza del impacto aplasta el material en el fondo del pozo. Pág. 94.

peritoneo: la membrana grasa que envuelve los intestinos. Pág. 112.

petifoque: pequeña vela triangular que es la vela más externa que se proyecta desde la proa de un buque. Pág. 21.

pico para extraer muestras: tipo de martillo, liviano y manual, usado por mineros y buscadores (de oro, etc.) para tomar muestras. Frecuentemente tiene una cabeza cuadrada en un extremo para martillar superficies y el otro extremo puntiagudo para romper el mineral. Tomar muestras implica desprender pedazos de roca de la superficie de la misma, recoger los pedazos y luego hacer que se analicen para determinar su contenido mineral. Pág. 28.

pies negros: cualquiera de los grupos indígenas de América del Norte, entre ellos la tribu pies negros del estado de Montana y varias tribus que actualmente viven en Canadá. El grupo controló áreas que fueron peleadas por comerciantes de pieles en el siglo XIX. Pág. 2.

Piloto de Pruebas: historia de L. Ronald Hubbard publicada por primera vez en la revista *Argosy* en octubre del 1936. Un piloto irresponsable, ante la prueba definitiva de valor, sacrifica su propia vida para salvar a su hermano menor. Pág. 91.

pimiento: pimiento picante que se seca y se prensa para su uso en la gastronomía. Pág. 111.

Pizarro: Francisco Pizarro (¿1474?–1541), explorador y soldado español que partió en una expedición para colonizar Perú. En 1531, él y sus dos compañeros desembarcaron en Perú con aproximadamente 180 hombres, algunos cañones y caballos. Los incas (gobernantes de un vasto imperio en Sudamérica) tenían una civilización rica en oro, plata y otros recursos naturales, pero ya estaban divididos por una guerra civil cuando llegó Pizarro, de modo que derrotó fácilmente al ejército del emperador inca. Pág. 42.

planeador primario: planeador construido toscamente para entrenar pilotos de planeadores. Pág. 54.

planeador secundario: el *planeador secundario* tiene la forma de un avión corriente, tiene una cabina para que vayan sentadas una o dos personas. Las alas son más largas que las de un planeador primario. En general, los planeadores primarios están diseñados para ser aerodinámicamente eficaces. *Aerodinámico* se refiere a las características de la estructura externa de una aeronave que afectan su rendimiento al desplazarse por el aire. Pág. 84.

planeador convencional: otro nombre para un *planeador secundario*. Un planeador secundario se construye como un avión común y corriente y tiene una cabina para una o dos personas. Sus alas son más largas que las de un planeador primario. Pág. 57.

Ponce de León: Juan Ponce de León (¿1460?– 1521), explorador español que acompañó a Cristóbal Colón en su segundo viaje a América. Ponce de León fue gobernador de la isla de Puerto Rico a principios del siglo XVI. Sus exploraciones de Florida tenían como objetivo el descubrimiento de la fuente de la eterna juventud. Pág. 41.

popa: parte posterior de una embarcación. Pág. 107.

popurrí: una mezcla diversa de cosas. Pág. 110.

potentado: persona con gran poder y autoridad, que gobierna sobre los demás; gobernante. Pág. 38.

Pratt, calle: calle de Baltimore, Maryland, cerca de los muelles. Pág. 25.

precario: que depende del azar o las circunstancias; de un modo que es incierto o inseguro. Pág. 53.

preliminar: algo que sirve para presentar alguna otra cosa, como el contenido principal de un texto. Pág. 1.

preludio: acción o suceso que precede y sirve de introducción a otro. Pág. 4.

preludiar: actuar como introducción de algo más. Pág. 113.

privación: carencia o falta de una cosa que la persona podría tener. Pág. 105.

proa: término náutico que se refiere a la parte delantera de una embarcación. Pág. 107.

prosaico: que pertenece a la vida cotidiana y común. Pág. 122.

Proyecto Alejandría: un proyecto que intentó localizar estructuras históricas de Alejandría y Egipto, realizado a finales de la década de 1970 por el arqueólogo psíquico Stephan A. Schwartz. La ciudad de Alejandría, ubicada en el Mediterráneo, es el puerto principal de Egipto y la segunda ciudad más grande del país. Fundada como la capital de Egipto en el año 331 A. C. por Alejando Magno, la ciudad creció hasta convertirse en una de las ciudades más grandes e impresionantes del mundo antiguo. Debido a un hundimiento de la tierra, a terremotos y otros desastres naturales, la mayoría de la antigua ciudad yace bajo el agua en el puerto, y se han hecho muchos intentos por localizar y recuperar edificios, estatuas y objetos antiguos. Pág. 128.

Puerto Rico: una isla autónoma en el norte del Mar Caribe; tiene una relación con Estados Unidos desde su adquisición de España en 1898. También forman parte de Puerto Rico dos islas de la costa Este, Vieques y Culebra. Puerto Rico se encuentra 1,600 kilómetros al sureste de Florida y cerca de 965 kilómetros al norte de Caracas, Venezuela. Pág. 17.

Purdue: alusión a la *Universidad de Purdue,* que se encuentra en Indiana y fue fundada en 1869. Pág. 77.

purgatorio: en la doctrina de la religión Católica Romana, el lugar donde las almas permanecen hasta que hayan pagado por sus pecados antes de entrar al cielo. Pág. 45.

quinina: sustancia poderosa con sabor amargo. Se utiliza principalmente para aliviar el dolor y la fiebre; la quinina solía ser el único tratamiento disponible para la malaria. Sin embargo, debido a sus desfavorables efectos secundarios, fue remplazada en gran medida por otros medicamentos. Pág. 28.

rastrojos: paja que queda después de la cosecha. Pág. 82.

reformatorio: institución a donde se envía a los jóvenes que infringen la ley con el fin de reformarlos (corregir y mejorar su conducta o carácter). Pág. 37.

regla de cálculo: aparato para hacer cálculos matemáticos precisos, como multiplicación y división; consiste en una regla con una pieza deslizante. Pág. 10.

Rickenbacker, Eddie: (1890-1973) aviador estadounidense que prestó servicio en la Primera Guerra Mundial (1914–1918), Estuvo en el *Servicio Aéreo de Estados Unidos,* una rama del ejército de Estados Unidos y precursor de la fuerza aérea americana. Como miembro y después comandante del Escuadrón Aéreo de Aviones Caza N.º 94, derribó veintidós aviones enemigos y fue condecorado por sus servicios por el gobierno estadounidense y por el gobierno francés. Pág. 69.

rifle del calibre veintidós: rifle con un cañón que tiene el diámetro interno de aproximadamente 5 milímetros. Pág. 47.

Ryan, T. Claude: Tubal Claude Ryan (1898 - 1982), aviador de los EE.UU. y fabricante de aviones. Ryan empezó a volar en 1917 y a través de los años fue responsable de importantes mejoras en el diseño y fabricación de aviones. Como gerente de la aerolínea Ryan a mediados de la década de 1920 transportó pasajeros entre San Diego (ciudad al sur en California) y los Ángeles y también construyó el avión para el aviador Charles Lindberg *Spirit of Saint Louis.* Empezó otra compañía en 1929, y diseñó el Ryan ST. *Véase también* **Ryan ST** y *Spirit of Saint Louis.* Pág. 84.

Ryan ST: avión diseñado por Tubal Claude Ryan (1898-1982), aviador americano y fabricante de aviones. El ejército usó el Ryan ST como avión de entrenamiento básico. *ST* son las siglas de *Sport Trainer (entrenador deportivo). Véase también* **Ryan, T. Claude**. Pág. 84.

S

sable: espada delgada y flexible con protección para la mano, que se usa en esgrima. Pág. 10.

Saint-Pierre: ciudad fundada en 1635 en Martinica, una isla en el Mar Caribe. Una vez fue la comunidad más grande e importante de la isla, un importante centro de exportación de ron, melaza y azúcar. En 1902, el gas caliente y las cenizas procedentes de la erupción de Monte Pelée destruyeron la ciudad, matando a casi todos sus treinta mil habitantes. Pág. 23.

salvia: arbusto originario de la zona del Mediterráneo y cuyas hojas y ramas se usan para sazonar. Pág. 111.

San Diego: ciudad estadounidense en la parte suroeste del estado de California, y la segunda más grande de ese estado (después de Los Ángeles). Pág. 4.

San Germán: ciudad en la parte suroeste de Puerto Rico. Una de las primeras comunidades españolas en la isla, San Germán fue fundada a principios del siglo XVI. Pág. 44.

San Juan: principal puerto marítimo y ciudad capital de Puerto Rico. *Véase también* **Puerto Rico.** Pág. 28.

sangre y escándalo: con violencia y tumulto, similar a lo que se encuentra en las historias de aventuras. Pág. 45.

Santa Cruz: una de las islas más grandes de la Islas Vírgenes de Estados Unidos. *Véase también* **Santo Tomás.** Pág. 17.

Santo Tomás: una de las Islas Vírgenes de Estados Unidos, un grupo de islas en el noreste del Mar Caribe, que consta de tres islas grandes y varias islas más pequeñas. Fueron colonia de Dinamarca durante los siglos XVIII y XIX, y Estados Unidos las adquirió en 1917. Pág. 17.

Sargazos, Mar de los: área con forma de óvalo irregular en el Océano Atlántico al noreste del Caribe, cuyos límites están definidos por cuatro corrientes oceánicas. Dentro de esas corrientes, las aguas del Mar de los Sargazos son más calmadas, más cálidas y salinas que las aguas de las corrientes. El nombre viene de las algas marinas (sargazos) de color castaño que flotan en enormes bultos sobre la superficie tranquila de las aguas. Pág. 20.

sargento primero: oficial que tiene un puesto superior en el que administra una unidad del Cuerpo de Marines de Estados Unidos. *No comisionado* significa que no tiene una comisión (un documento que otorga rango y autoridad y que emite el presidente de Estados Unidos). Pág. 84.

Schliemann, Heinrich: (1822-1890) arqueólogo alemán que excavó antiguas ciudades en Grecia y Turquía, incluyendo las ruinas de Troya. Pág. 118.

Schwartz, Stephan A.: investigador y autor en el campo de la parapsicología que trabajó con algunos laboratorios de investigación, entre ellos el Rhine Research Center (Centro de Investigación Rhine), fundado por el psicólogo estadounidense Joseph Banks Rhine (1895-1980). Pág. 120.

Scientology: Scientology es el estudio y tratamiento del espíritu con relación a sí mismo, los universos y otros seres vivos. La palabra Scientology viene del latín *scio,* que significa "saber en el sentido más pleno de la palabra" y la palabra griega *logos,* que significa "estudio". En sí, la palabra significa literalmente "saber cómo saber". Pág. 1.

sepulcro: tumba, sepultura. Pág. 124.

Servicio Secreto Británico: rama del gobierno británico que dirige las investigaciones secretas, especialmente investigaciones sobre el poder militar de otras naciones. Pág. 8.

Secreto de la Isla del Tesoro, El: serie de películas producidas por Columbia Pictures, basadas en la novela de L. Ronald Hubbard *Murder at Pirate Castle* (Asesinato en el Castillo Pirata). Los guiones de LRH para la serie, escritos a lo largo del 1937, se convirtieron en un éxito de taquilla. Pág. 91.

shashlik: un tipo de shish kebab, en el shashlik (palabra en ruso) se utiliza cordero que se ha *marinado* (se ha dejado reposar en un líquido como vino, o vinagre) durante varias horas y se sazona con hierbas. *Véase también* **shish kebab.** Pág. 112.

shish kebab: platillo que consiste de pequeñas piezas de carne y verduras que se ponen en un palillo largo y delgado o en una vara de metal y se cocinan juntas. Pág. 112.

Sicilia: la isla más grande del Mediterráneo, Sicilia es una región de Italia, situada al sudoeste del extremo de la península italiana. Pág. 122.

silicio: elemento químico abundante, frágil y no metálico que se encuentra naturalmente en la arena, el granito, la arcilla y en muchos minerales. Pág. 28.

Spirit of Saint Louis: nombre de un avión piloteado por el aviador estadounidense Charles Lindberg (1902–1974) en el primer vuelo sin escalas que cruzó el Atlántico el 20 de mayo de 1927. Lindberg voló 5,810 kilómetros desde Nueva York hasta París, lo que le tomó 33 horas y 32 minutos en este pequeño avión de un motor, la aventura fue financiada por un hombre de negocios en la ciudad de Saint Louis, Missouri, una ciudad en el centro de Estados Unidos. Pág. 84.

Sportsman Pilot, The (El Piloto Deportivo): revista mensual de aviación publicada en Estados Unidos de alrededor de 1930 hasta 1943. Contenía artículos sobre una amplia gama de temas, entre ellos la cobertura de eventos deportivos aéreos, comentarios sobre temas de la aviación del momento, artículos técnicos sobre vuelo, así como otros artículos sobre temas de interés general. Pág. 54.

Stefansson: Vilhjalmur Stefansson (1879–1962), explorador estadounidense que descubrió nuevas regiones en el Ártico e investigó la cultura nativa de la región. Exploró Islandia en 1905 y luego condujo una expedición (1913 - 1918) a Canadá y a las regiones árticas de Alaska. En las numerosas obras que publicó, Stefansson mostró al Ártico no sólo como un lugar ameno, sino como un área de gran importancia estratégica. Pág. 99.

Stetson: un tipo de sombrero alto y de ala ancha que ha sido especialmente popular en el oeste de Estados Unidos. Su nombre se relaciona con John B. Stetson (1830–1906), quien lo originó a mediados del siglo XIX. Pág. 10.

subsidio: ayuda o auxilio económico concedido por un organismo oficial. Pág. 47.

Sudán: región en la parte central del norte de África, al sur del Sahara. Es un área de pradera que se extiende a través del continente, y mide aproximadamente 1,600 kilómetros en su punto más ancho. Pág. 111.

talador de altura: cuando se talaban para madera, muchos de los árboles eran muy altos y resultaba mejor cortar la mitad superior del árbol y luego la parte inferior. El talador de altura era el que subía al árbol para talar la parte superior. Pág. 93.

Tanit: antigua diosa de la fertilidad. Pág. 118.

teodolito: instrumento con un telescopio en la parte superior, empleado para medir terrenos y calcular ángulos y longitudes. Pág. 10.

Terra Incognita: región desconocida o inexplorada. Literalmente, en latín, "tierra desconocida". Pág. 117.

tierra firme: en terreno sólido y no en vuelo. Pág. 35.

tierra yerma: área extensa de tierra incultivable, altamente erosionada y con poca vegetación. Pág. 2.

tifón: violenta tormenta tropical del área occidental del Pacífico y de los mares de China. Pág. 8.

timar: quitar o hurtar con engaño. Pág. 77.

timón: la rueda que controla la dirección en que viaja un buque o embarcación. Pág. 20.

timón de profundidad: cada una de las piezas móviles articuladas que hay en el borde posterior de las alas de un avión y que sirven para controlar su movimiento hacia abajo y hacia arriba. Pág. 63.

toledana, hojas de espada: hoja de espada hecha en Toledo, España, lugar famoso por la fabricación de hojas de espada de notable fuerza y resistencia. Pág. 42.

tomar el pelo: hacer creer algo que no es cierto. Pág. 93.

Tombuctú: ciudad en el centro de Malí, país al noroeste de África que colinda al sur con el desierto del Sahara. Fundada a finales del siglo XI D. C., Tombuctú se convirtió en un centro de aprendizaje islámico. El nombre de esta ciudad a menudo se usa en frases que aluden a un sitio muy remoto e inaccesible. Pág. 10.

tomillo: planta muy aromática cuyas hojas se usan frescas o secas como condimento para dar sabor en las comidas. Pág. 111.

traca: cada una de las líneas continuas de tablones en los lados de un buque, que se extiende desde la parte delantera (proa) a la trasera (popa). Pág. 106.

transmisión de señales: transmitir mensajes a larga distancia, como por ejemplo mediante luces intermitentes, sonidos, banderas o similar. La transmisión de señales incluye el uso de códigos para representar letras del alfabeto, como sonidos o luces cortas y largas, o el sostener banderas en diferentes posiciones. Pág. 7.

Tratado de Versalles: tratado que oficialmente terminó la Primera Guerra Mundial (1914–1918), firmado en la ciudad de Versalles en la zona central del norte de Francia. Además de exigir que Alemania entregara territorios y pagara amplias reparaciones por daños, el tratado también reducía el tamaño del ejército y la marina de guerra alemanes, y prohibía la fabricación de aviones, tanques y submarinos. Pág. 53.

tren de aterrizaje: ruedas y mecanismos de un avión que sirven para despegar y aterrizar. Pág. 73.

Trinidad: país isla situado cerca de la costa de Sudamérica. Es la isla más al sur de las Antillas. Consiste en dos islas, Trinidad y Tobago, descubiertas por Cristóbal Colón en 1498. Pág. 29.

Troya: antigua ciudad en Asia Menor (ahora Turquía) famosa por sus leyendas de la antigua Grecia. Durante mucho tiempo se consideró que Troya había sido una ciudad puramente legendaria, pero a fines del siglo XIX los arqueólogos comenzaron excavaciones que desenterraron los muros de piedra y estructuras defensivas de una antigua ciudad en el área donde se suponía que había estado Troya, y a partir de entonces se han descubierto numerosas ciudades construidas en el mismo lugar. Pág. 118.

Túnez: ciudad y capital del país de Tunicia en la costa norte de África. Pág. 122.

U

Universidad George Washington: universidad privada fundada en la ciudad de Washington, D.C., en 1821. Bautizada en honor del primer presidente de Estados Unidos, George Washington (1732–1799), la universidad tiene varias facultades, incluyendo la de ingeniería y ciencias aplicadas y el Columbian College de artes y ciencias. También tiene un largo historial por apoyar la investigación de la física y otros campos técnicos. Pág. 10.

V

Valencia: ciudad al este de España, fundada en la época de los romanos. Pág. 122.

ventanilla: abertura redonda y pequeña en el costado o en otra parte de un barco, para que entre la luz o el aire. Pág. 107.

Versalles, Tratado de: tratado que oficialmente terminó la Primera Guerra Mundial (1914–1918), firmado en la ciudad de Versalles en la zona central del norte de Francia. Además de exigir que Alemania entregara territorios y pagara amplias reparaciones por daños, el tratado también reducía el tamaño del ejército y la marina de guerra alemanes, y prohibía la fabricación de aviones, tanques y submarinos. Pág. 53.

veta: capa de mineral o metal en una roca. Pág. 36.

veta madre: depósito o veta principal de oro en una región o distrito en particular. Pág. 36.

vieja dama de la guadaña: representación de la muerte, pues se supone que con la guadaña va segando vidas. Pág. 60.

vigésimo regimiento de infantería de marina: unidad de reserva de la infantería de marina. Pág. 10.

vudú: conjunto de creencias y prácticas originarias de África que incluye la magia y el supuesto ejercicio de poderes sobrenaturales con la ayuda de espíritus malignos. Pág. 28.

Waldorf-Astoria: famoso hotel en Nueva York. Pág. 77.

Washington (Estado): estado en el noroeste de Estados Unidos, en la costa del Pacífico, con frontera al norte con Canadá. Pág. 4.

Wilkins: Sir George Hubert Wilkins (1888–1958), explorador y aviador australiano. Fue parte de la expedición al Ártico (1913-1916) bajo el mando del explorador Vilhjalmur Stefansson. En 1928 él hizo el primer viaje histórico a través del Océano Ártico, desde Alaska hasta Noruega, una hazaña por la que fue armado caballero. Luego, ese mismo año, hizo el primer vuelo sobre la península Antártica. Pág. 99.

ÍNDICE TEMÁTICO

LA COLECCIÓN DE
L. RONALD HUBBARD

"Para realmente conocer la vida", escribió L. Ronald Hubbard, "tienes que ser parte de la vida. Tienes que bajar y mirar, tienes que meterte en los rincones y grietas de la existencia. Tienes que mezclarte con toda clase y tipo de hombres antes de que puedas establecer finalmente lo que es el hombre".

A través de su largo y extraordinario viaje hasta la fundación de Dianética y Scientology, Ronald hizo precisamente eso. Desde su aventurera juventud en un turbulento Oeste Americano hasta su lejana travesía en la aún misteriosa Asia; desde sus dos décadas de búsqueda de la esencia misma de la vida hasta el triunfo de Dianética y Scientology, esas son las historias que se narran en las Publicaciones Biográficas de L. Ronald Hubbard.

Tomada de la colección de sus propios archivos, esta es la vida de Ronald como él mismo la vio. Cada número se enfoca en un campo específico y proporciona los hechos, las cifras, las anécdotas y fotografías de una vida como ninguna otra:

Aquí está la vida de un hombre que vivió por lo menos veinte vidas en el espacio de una.

PARA MÁS INFORMACIÓN, VISITA:
www.lronhubbard.org.mx

The L. Ron Hubbard Series
A PROFILE

DIANETICS LETTERS & JOURNALS

DARING DEEDS & UNKNOWN REALMS

LETTERS & JOURNALS

WRITER THE SHAPING OF POPULAR FICTION

LITERARY CORRESPONDENCE LETTERS & JOURNALS

POET/LYRICIST THE AESTHETICS OF VERSE

MUSIC MAKER COMPOSER & PERFORMER

PHOTOGRAPHER WRITING WITH LIGHT

FOR A GREENER WORLD

MASTER MARINER AT THE HELM ACROSS SEVEN SEAS

Para pedir copias de *La Colección de L. Ronald Hubbard*
o para libros o conferencias de L. Ronald Hubbard
sobre Dianética y Scientology, contacta:

EE.UU. E INTERNACIONAL

BRIDGE PUBLICATIONS, INC.
5600 E. Olympic Blvd.
Commerce, California 90022 USA
www.bridgepub.com
Tel: (323) 888-6200
Número gratuito: 1-800-722-1733

REINO UNIDO Y EUROPA

NEW ERA PUBLICATIONS
INTERNATIONAL ApS
Smedeland 20
2600 Glostrup, Denmark
www.newerapublications.com
Tel: (45) 33 73 66 66
Número gratuito: 00-800-808-8-8008